ANTON WEBERN • DER WEG ZUR NEUEN MUSIK

Anton Webern: Der Weg zur Neuen Musik

UE 13 199
ISMN 979-0-008-07015-0
UPC 8-03452-03338-7
ISBN 978-3-7024-0030-9

UE

Anton Webern

Der Weg zur Neuen Musik

herausgegeben von Willi Reich

Inhalt

VORBEMERKUNG

Die Veröffentlichung der sechzehn Vorträge, die Anton Webern zu Anfang der Jahre 1932 und 1933 in einem Wiener Privathaus vor gegen ein geringes Entgelt zugelassenen Hörern gehalten hat, bedarf keinerlei Rechtfertigung, vielmehr ist die durch besondere äußere Umstände verursachte Verspätung ihres Erscheinens zu erklären: Mein im September 1933 freiwillig aus dem Leben geschiedener Freund, der Wiener Rechtsanwalt Dr. Rudolf Ploderer, der auch Webern persönlich sehr nahe stand, hatte die Vorträge mitstenographiert. Wir wollten sie in der damals von mir in Wien herausgegebenen Musikzeitschrift „23" wörtlich abdrucken. Der geringe Umfang der Zeitschrift verhinderte aber zunächst die Publikation, und später hätten die in die Vorträge eingestreuten scharfen Ausfälle gegen die Kunstpolitik der Nazis Webern schweren Verfolgungen ausgesetzt. Erst lange nach dem Krieg und nach dem tragischen Ende Weberns konnte ich das in die Schweiz gerettete Archiv der Zeitschrift sichten, und dabei kamen auch die schon ganz vergilbten Niederschriften Ploderers zum Vorschein. Die Universal Edition erklärte sich auf meinen Vorschlag hin sogleich mit Freuden bereit, die Vorträge nunmehr zu veröffentlichen.
Diese erscheinen hier genau nach dem Stenogramm, berichtigt wurden nur einige offensichtliche Schreibfehler. In dieser Form geben sie zugleich mit ihrem kostbaren Inhalt auch einen höchst lebendigen Begriff von der eigenartig drastischen und ungezwungenen Redeweise Weberns und damit auch von seiner wunderbaren, hohe Bildung und schärfstes künstlerisches Denken mit fast kindlichem Gefühlsausdruck vereinenden reinen Persönlichkeit.
Aus unmittelbar einleuchtenden sachlichen Gründen wurde hier die zeitliche Reihenfolge der beiden achtgliedrigen Vortragszyklen vertauscht. Der Aufstieg von den 1933 behandelten Elementarbegriffen zu den 1932 skizzierten komplizierteren Bedingtheiten der Zwölftonmusik erscheint so in voller Natürlichkeit. Die außerordentliche Kürze mancher Texte, insbesondere des Zyklus vom Jahre 1932, ist dadurch zu erklären, daß Webern an jenen Abenden weniger sprach und dafür ganze Werke oder einzelne Sätze am Klavier vortrug. Die gelegentlich vorkommenden Wiederholungen wurden von Webern ganz bewußt zum Zwecke der Intensivierung und Steigerung seiner Ausführungen angebracht, ebenso wie häufige lange Pausen und tiefes Atemholen. Dies alles war wesentlich mitbestimmend für die unerhörte Eindringlichkeit seiner Rede und für den erschütternden Eindruck, den sie in allen Hörern hervorrief.

*

Es ist sehr charakteristisch, daß Webern beide Zyklen als „Wege" bezeichnete. Er, der immer „unterwegs" war, wollte auch anderen die Wege weisen. Zunächst sollte das gezeigt werden, was im Laufe der Jahrhunderte in der Kunst der Musik jeweils „neu", das heißt, vorher noch nicht gesagt war. Aus den sich da ergebenden Gesetzmäßigkeiten sollte dann das Gesetz, nach dem das Gegenwärtig-Neue antritt, erschlossen werden.
Hier machte sich Webern Goethes Standpunkt zu eigen, den er durch ausführliche Zitate erläuterte. Es konnte nur darum gehen, „die Gesetze kennenzulernen, nach denen die allgemeine Natur unter der besonderen Form der menschlichen Natur produktiv handeln will und handelt, wenn sie kann". Der Mensch ist nur das Gefäß, in das gegossen wird, was die „allgemeine Natur" ausdrücken will. So wie der Naturforscher sich bemüht, die Gesetzmäßigkeiten aufzufinden, die der Natur zu Grunde liegen, so muß es unser Bestreben sein, die Gesetzmäßigkeiten kennenzulernen, nach denen die Natur in der besonderen Form des Menschen produktiv ist. Und das gibt uns eigentlich den Aspekt, daß die Dinge, mit denen die Kunst im allgemeinen zu tun hat, nichts „Ästhetisches" sind, sondern daß sie durch Naturgesetze bestimmt sind und daß alle Betrachtungen über Kunst nur in diesem Sinne erfolgen können. In der gleichen Linie liegt auch die von Webern zitierte Äußerung Goethes über die Kunst der Alten: „Diese hohen Kunstwerke sind zugleich als die höchsten Naturwerke von Menschen nach wahren und natürlichen Gesetzen hervorgebracht worden. Alles Willkürliche, Eingebildete fällt zusammen: da ist die Notwendigkeit, da ist Gott."
So wie Goethe das Wesen der Farbe als „die gesetzmäßige Natur in bezug auf den Sinn des Auges" definiert, will Webern den Ton als die gesetzmäßige Natur in bezug auf den Sinn des Ohres aufgefaßt und aller menschlichen Willkür entrückt wissen. Nur den mit dieser Erkenntnis und der Ehrfurcht vor dem Geheimnis künstlerischen Waltens Ausgestatteten will er die Annäherung an die Werke der großen Meister der Musik ermöglichen.

*

Manche Leser werden sich vielleicht aus der Musikliteratur der jüngsten Zeit eine andere Vorstellung von der geistigen Gestalt Weberns gebildet haben als diejenige, die sich aus den hier mitgeteilten Vorträgen ergibt. Solchem freien Walten der Phantasie kann nur mit dem Hinweis begegnet werden, daß hier kein Wort steht, das nicht von Webern selbst ausgesprochen wurde — in jener feurigen und doch verhaltenen Art ausgesprochen, die jede Begegnung mit ihm zu einem unvergeßlichen Erlebnis machte. Als Abglanz solchen Erlebens seien diese Vorträge der Nachwelt überliefert — als Zeichen des Dankes für all das Schöne und Tiefsinnige, das er uns durch seine Lehre und durch sein Beispiel vermittelte; als Dokumentationen seines hohen Geistes, als ein Denkmal seines edlen Menschentums. Wer Ohren hat zu hören, der höre!

Willi Reich

DER WEG ZUR NEUEN MUSIK

I.

Ich denke, daß wir das so einrichten, daß ich zunächst meinen Plan entwickle. Da die Sache so spät begonnen hat — es sollte ursprünglich drei Monate dauern —, so wollen wir in acht Zusammenkünften uns unterhalten.
Ich denke mir, daß viele unter Ihnen sind, die mit der Musik nicht von Berufs wegen zu tun haben und sozusagen als Laien anzusprechen sind. Ich möchte daher meine Vorträge mit Rücksicht auf diese abhalten, auf die Gefahr hin, daß es „Gebildeteren" unter Ihnen zu fad wird, — dagegen kann ich eben nichts machen. Aber es wird vielleicht auch solche interessieren.
Ich möchte die Gesichtspunkte so allgemein als möglich wählen und gehe von der Betrachtung aus: Was für einen Sinn kann es für einen Laien haben, (ich setze natürlich vom Musiker voraus, daß er das alles weiß) — welchen Wert kann es also für Menschen, die sich mit Musik nicht berufsmäßig beschäftigen, haben, also für Laien, sich mit diesen Disziplinen zu beschäftigen, die für den, der Musiker ist, Selbstverständlichkeiten sind? Welchen Wert kann das haben?
Ich möchte nun an den Aufsatz von Karl Kraus über die *Sprache* anknüpfen, der in der letzten „Fackel" (Nr. 885/7 von Ende Dezember 1932) erschienen ist. Es ist da alles wörtlich zu nehmen mit Bezug auf die Musik. Karl Kraus spricht in diesem Aufsatz davon, daß es so wichtig wäre, daß die Menschen in dem *Material*, das sie, so lange sie leben und reden können, fortwährend benützen, Bescheid wissen. Im Schlußsatz heißt es von der Sprache sogar: „*Der Mensch lerne, ihr zu dienen!*" — Da spricht Kraus davon, daß es natürlich — geben Sie recht acht, denn das ist von unerhörter Wichtigkeit, darin müssen wir uns verstehen! — töricht wäre, die Befassung mit dieser Materie, die wir von klein auf handhaben, im Sinne eines ästhetischen Wertes vorzunehmen. Also nicht weil wir Schmöcke werden wollen und herumkünsteln . . . sondern er spricht davon, daß die Befassung mit der Sprache und den Geheimnissen der Sprache ein moralischer Gewinn wäre. Wir müssen das gleiche sagen! — Ich will nicht von Sprache, sondern von Musik reden — aber es ist alles dasselbe, und wir werden davon den Ausgang nehmen können.
Es heißt hier bei Karl Kraus: „Die Nutzanwendung der Lehre, die die Sprache wie das Sprechen betrifft, könnte niemals sein, daß der, der sprechen lernt, auch die Sprache lerne, wohl aber, daß er sich der *Erfassung der Wortgestalt* nähere und damit der Sphäre, die jenseits des greifbar Nützhaften ergiebig

ist. Diese Gewähr eines moralischen Gewinns liegt in einer geistigen Disziplin, die gegenüber dem einzigen, was ungestraft verletzt werden kann, der Sprache, das höchste Maß einer Verantwortung festsetzt und wie keine andere geeignet ist, den Respekt vor jeglichem anderen Lebensgut zu lehren . . . Nichts wäre törichter, als zu vermuten, es sei ein ästhetisches Bedürfnis, das mit der Erstrebung sprachlicher Vollkommenheit geweckt oder befriedigt werden will." . . . Das geht Satz für Satz so fort! . . . „Den Rätseln ihrer Regeln, den Plänen ihrer Gefahren nahezukommen, ist ein besserer Wahn als der, sie beherrschen zu können." — Und daß wir uns nicht einbilden, das Beherrschenkönnen zu lernen: „*Abgründe* dort sehen zu lehren, wo Gemeinplätze sind — das wäre die pädagogische Aufgabe an einer in Sünden erwachsenen Nation . . ."

Ich habe früher gesagt: Was könnte der Wert einer Beschäftigung von Laien mit diesen Elementen sein, mit „den Rätseln ihrer Regeln"? — Eben dieser: Abgründe dort sehen zu lernen, wo Gemeinplätze sind! . . . Und — das wäre Erlösung . . . geistig beschäftigt sein!

Nun — verstehen Sie ein bißchen, was ich meine?

Sie sollen durch das, was wir besprechen, eine Handhabe finden, der Musik näherzukommen, oder sagen wir: Es kann nur der Sinn einer solchen Befassung sein, daß Sie eine Ahnung bekommen von dem, was hier vorgeht, was Musik und im weiteren Zusammenhange was Kunst überhaupt ist. Und wenn Sie, durch mich auf dies und jenes aufmerksam gemacht, gewissen Erscheinungen der Musik von heute ein bißchen bewußter und kritischer gegenüberstehen, so ist damit schon einiges erreicht.

Ich möchte vielleicht zunächst ganz allgemein sprechen und sagen: Jeder Kunst, und somit auch der Musik, liegen Gesetzmäßigkeiten zugrunde, und die ganze Befassung mit dieser Materie, wie wir sie betreiben wollen, kann nur darauf ausgehen, diese Gesetzmäßigkeiten einigermaßen zu begründen. — Ich möchte da wundervolle Sätze von Goethe zitieren, die für alles, was wir besprechen werden, grundlegend sein müssen, und die — wenigstens mich — überzeugen. Ich zitiere sie, damit wir uns auf einer Basis verstehen, wie sie allgemeiner nicht bestehen könnte.

Goethe spricht da — in der Einleitung zur „Farbenlehre" — aphoristisch über die „Unmöglichkeit sich Rechenschaft zu geben, vom Natur- und Kunstschönen . . . Wir wollen Gesetze aufspüren . . . man müßte sie kennen." — Aber Goethe sieht fast eine Unmöglichkeit darin — das hindert aber nicht, daß man sich bemühen muß, „die Gesetze kennen zu lernen, nach denen die allgemeine Natur unter der besonderen Form der menschlichen Natur produktiv handeln will und handelt, wenn sie kann . . ."

Was heißt aber das? . . . Goethe sieht die Kunst an als Produktion der allgemeinen Natur in der besonderen Form menschlicher Natur. — Das heißt, daß zwischen Naturprodukt und Kunstprodukt kein wesentlicher Gegensatz herrscht, sondern daß es dasselbe ist, daß das, was wir als Kunstwerk ansehen und so nennen, im Grunde nichts anderes ist als ein Produkt der allgemeinen Natur. — Was ist das, die „allgemeine Natur"? — Vielleicht das, was uns umgibt? — Was heißt das aber? — Es ist eine Erklärung der menschlichen Produktivität und im besonderen der Genialität. — Schauen Sie, meine Damen und Herren, das zeigt sich nicht so: Jetzt will ich ein schönes Bild malen. ein schönes Gedicht machen, etc. etc. Ja, das kommt auch vor — aber Kunst ist das nicht.

Und die Werke, die bestehen und für immer bestehen werden, die großen Meisterwerke müssen anders entstanden sein, als sich das so die Menschheit leider denkt. — Was ich damit meine, das muß Ihnen an den Sätzen von Goethe klar geworden sein. Populärer gesprochen: Der Mensch ist nur das Gefäß, in das gegossen ist, was die „allgemeine Natur" ausdrücken will. Sehen Sie, und so irgendwie möchte ich es sagen: Wie der Naturforscher sich bemüht, die Gesetzmäßigkeiten zu finden, die der Natur zugrunde liegen, so muß es unser Bestreben sein, die Gesetze zu finden, unter denen die Natur in der besonderen Form des Menschen produktiv ist. Und das gibt uns eigentlich den Aspekt, daß die Dinge, von denen in der Kunst im allgemeinen die Rede ist, mit denen sie zu tun hat, nichts „Ästhetisches" sind, sondern daß es sich da um Naturgesetze handelt, daß alle Betrachtungen über Musik nur in diesem Sinne erfolgen können.

Es sind hier Gesetze vorhanden, die wahrscheinlich wirklich nicht alle aufzufinden sind. Aber einige davon hat man doch erkannt und hat sie, möchte ich sagen, in die Handwerkslehre gebracht. Speziell in der Musik: In jene Handwerkslehre, mit der der Musiker sich befassen muß, wenn er imstande sein soll, etwas Rechtes zu schaffen.

Noch ein Zitat von Goethe, weil es die Linie so wunderbar ausdrückt. Er sprach von der Kunst des Altertums: „Diese hohen Kunstwerke sind zugleich als die höchsten Naturwerke von Menschen nach wahren und natürlichen Gesetzen hervorgebracht worden. Alles Willkürliche, Eingebildete fällt zusammen: da ist die Notwendigkeit, da ist Gott." . . . „Naturwerke von Menschen" . . . Wieder derselbe Gedanke! — Und noch etwas tritt hervor: *Das Notwendige.* — Wir werden uns bemühen müssen, das Notwendige in den Meisterwerken festzustellen. Keine Spur von Willkür! Nichts Eingebildetes! Und noch etwas von Goethe muß ich zitieren. Sie wissen, Goethe hat eine „Farbenlehre" geschrieben; er suchte zu ergründen, was damit ist, daß alles so farbig ist usw. . . . Und da heißt es: „Vielleicht aber machen diejenigen, welche nach einer gewissen Ordnung zu verfahren pflegen, bemerklich, daß wir ja noch nicht einmal entschieden erklärt, was denn Farbe sei? . . . Es bleibt uns auch hier nichts übrig, als zu wiederholen: die Farbe sei die gesetzmäßige Natur in bezug auf den Sinn des Auges."

Da zwischen Farbe und Musik nur ein gradueller, aber kein wesentlicher Unterschied ist, so kann man sagen, daß Musik die gesetzmäßige Natur in bezug auf den Sinn des Ohres ist. Das ist im Grunde dasselbe, wie die Farbe und was ich dazu angeführt habe Aber es ist wohl die Wahrheit, und so sage ich, wenn wir uns hier über Musik unterhalten wollen, so kann es nur so geschehen: In der Erkenntnis, im Glauben, daß sie die gesetzmäßige Natur in bezug auf den Sinn des Ohres ist.

Vielleicht genügt das einstweilen, um Ihnen meinen Standpunkt ein wenig näherzubringen und Sie zu überzeugen, daß es so ist. Natürlich ist, daß man, wenn man sich den Werken der großen Kunst nähert und sie anschauen und betrachten will, sich ihnen so nähern muß — ob als Gläubiger oder Ungläubiger — wie man sich den Werken der Natur gegenüber einstellen muß; also mit der nötigen Ehrfurcht vor dem zugrundeliegenden Geheimnis, vor dem Geheimnisvollen, das darin ist.

Aber ob wir es nun erkennen oder nicht: Eines muß uns klar sein, nämlich: daß hier Gesetzmäßigkeit waltet und daß wir diese Gesetze nicht anders auffassen können als die Gesetze, die wir der Natur zuschreiben: Die gesetzmäßige Natur in bezug auf das Ohr.

Nun komme ich auf den Titel meiner Vorträge zu sprechen: „Der Weg zur Neuen Musik". — Wer von Ihnen war denn im Schönberg-Vortrag?*) Auch er sprach von „Neuer Musik". Was wollte er damit sagen? Wollte er den Weg zur modernen Musik zeigen? — Meine eigenen Ausführungen bekommen jetzt einen doppelten Sinn unter Bezug auf die Ausführungen Schönbergs: Neue Musik ist jene, die nie gesagt wurde. — Dann wäre Neue Musik ebenso das, was vor tausend Jahren war, wie das, was jetzt ist, nämlich: Solche Musik, die als eine noch nie gesagte erscheint. — Wir können aber auch sagen: Verfolgen wir durch die Jahrhunderte wie es war — dann werden wir sehen, wie Neue Musik wirklich ist. Und dann werden wir vielleicht wissen, was Neue Musik heute ist — und was veraltete Musik ist.

So wollen wir den Gesetzmäßigkeiten, die da verborgen sind, näherkommen, um dann klarer zu sehen, was heute los ist. Dann haben wir den Weg zur Neuen Musik zurückgelegt.

Jetzt will ich ins Praktische steigen und etwas allgemeiner aber musikalischer Natur behandeln, etwas ganz allgemeines berühren, weil wir uns sonst nicht verstehen können und weil es an das Frühere unmittelbar anschließt, an Hand von Goethes Anschauungen. Reden wir nicht mehr von Kunst, reden wir von Natur!

Was ist das Material der Musik? . . . Der Ton, nicht wahr? — Also so müßte man eigentlich anfangen, schon hier nach Gesetzmäßigkeiten zu suchen und nach dem Niederschlag der Gesetzmäßigkeiten. — Ich weiß nicht, ob das Ihnen allen so bekannt ist, aber ich möchte mich mit Ihnen darüber unterhalten: Wie ist es zu dem gekommen, was wir Musik nennen? Wie haben die Menschen das von der Natur Gegebene verwendet? — Sie wissen, daß der Ton kein Einfaches ist, sondern etwas Zusammengesetztes. Sie wissen, daß bei jedem Ton die Obertöne mitgehen — eigentlich ins Unendliche fort, und es ist merkwürdig, wie der Mensch sich diese Erscheinung zunutze gemacht hat, um dasjenige, was ihm zunächst nötig ist um eine musikalische Gestalt zu erzeugen, wie er sich da dieses Geheimnisvollen bedient hat.

Konkreter gesprochen: Woher ist dieses Tonsystem gekommen, dessen sich

---

*) Gemeint ist der Vortrag „Neue und veraltete Musik oder Stil und Gedanke", den Schönberg im Januar 1933 im Wiener „Kulturbund" hielt.

die Menschen bedienen, soweit musikalische Werke bestehen? Wie ist das geworden? — Nun, so weit wir davon wissen, kennt die abendländische Musik, also das, was seit der griechischen Musik in der Entwicklung bis zu uns bekannt ist, gewisse Tonreihen, die bestimmte Formen angenommen haben. Man weiß von den griechischen Tonarten, dann von den Kirchentönen in den früheren Zeitläuften. Wie ist man denn zu diesen Tonreihen gekommen? — Sie sind wirklich ein Niederschlag der Obertöne. Es folgt bekanntlich erst die Oktav, dann die Quint, dann in der nächsten Oktav die Terz, und weiter die Septim. — Was wird da ganz deutlich? Daß die Quint der nächste auffällige Ton ist, also die stärkste Affinität zum Grundton hat. — Das läßt den Schluß zu, daß der Ton im gleichen Verhältnis steht zu dem um eine Quint tiefer liegenden. Wir haben also hier eine Art Kräfteparallelogramm, das „Gleichgewicht" ist hergestellt, die hinauf- und hinunterziehenden Kräfte halten sich die Waage. — Nun ist das Merkwürdige, daß die Töne der abendländischen Musik ein Niederschlag sind der ersten Töne dieses Kräfteparallelogramms: C(GE) — G(DH) — F(CA). — In den Obertönen der drei engbenachbarten und -verwandten Töne sind also die sieben Töne der Skala enthalten.
Sie sehen, daß es ein ganz naturgemäßes Material ist. Unsere Siebentonreihe ist auf diese Weise zu erklären, und es ist anzunehmen, daß sie auf diese Weise auch entstanden ist.
Es gibt außer der abendländischen Musik noch bei anderen Völkern Musik — ich verstehe nicht viel davon —: die japanische und chinesische Musik zum Beispiel, soweit sie nicht eine Nachahmung unserer Musik ist. Die haben statt der sieben Töne andere Reihen. — Aber es scheint doch die besondere Folgerichtigkeit und tiefe Begründung unseres Systems zu zeigen, daß unserer Musik ein besonderer Weg gewiesen ist.

(20. Februar 1933)

II.

Wenn wir beisammen bleiben, dann möchte ich es einführen, daß jedes Mal jemand ein kurzes Referat hält über das, was wir in der letzten Stunde besprochen haben. Wir werden dann bewußter an das Frühere anknüpfen. Wir wollen miteinander versuchen, gemeinsam die Dinge zu überlegen, um immer klarer zu sehen.
Wir haben das letzte Mal den Ausgang genommen von der *Wortgestalt* bei Karl Kraus (er hätte auch „sprachliche Form" oder „sprachliche Gestalt" sagen können) — entsprechend der musikalischen Gestalt. — Jenseits der Materie gelangen wir also zur Erfassung des musikalischen Gedankens.
Da möchte ich einen kleinen Exkurs machen, der zeigen soll, wie wichtig es ist, sich mit diesen Dingen zu befassen, um dem musikalischen Gedanken näher zu kommen. Es ist etwas ganz Merkwürdiges, wie wenige Menschen imstande sind, einen musikalischen Gedanken zu erfassen. Ich möchte da

nicht von der großen Masse sprechen, die sich mit Geistigem nicht viel befassen kann; ich möchte die Mißgriffe großer Geister betrachten. Sie werden es schon beobachtet haben, wie merkwürdig zum Beispiel Schopenhauer zur Musik sich eingestellt hat. Er, der die unerhörtesten Gedanken über die Musik entwickelt hat — und doch: das dümmste Urteil hat er gefällt: nicht Mozart — Rossini — hat ihm gefallen! — Wenn es sich noch um einen Zeitgenossen gehandelt hätte, da sind Mißgriffe verzeihlicher — aber das lag doch weit zurück — also ein historischer Irrtum!

Und sehen wir weiter: Goethe — was hat ihm gefallen? — Zelter! — Schubert schickt ihm den „Erlkönig" — er schaut ihn gar nicht an. — Die bekannte Zusammenkunft Goethes mit Beethoven war sicherlich nicht so, wie es gewöhnlich dargestellt wird, denn Beethoven war gesellschaftlich durchaus gebildet, er war kein „verrückter Narr" — er hat sich wohl gerade geärgert — als „Wilden" dürfen wir uns ihn aber nicht vorstellen. — Weiter: Nietzsche! — Schopenhauer, Goethe, Nietzsche — lauter erlauchte Namen! — Nietzsche — da war auch keine musikalische Beziehung zu Wagner, nur eine gedanklich philosophische. Wagner schwenkte mit dem „Parsifal" auf ein gedanklich anderes Gebiet hinüber, womit Nietzsche nicht einverstanden war. Bizet bedeutete ihm offenbar einen notgedrungenen Ersatz. Der Katholizismus des „Parsifal" war offiziell der Grund des Bruches — also etwas Außermusikalisches.

Immer ist es dasselbe: die Minderwertigenwerden emporgehoben, die Größeren werden verstoßen. Denn ein Nietzsche überlegte doch, was er sprach und schrieb. Wenn er schon von Musik sprach, dann hätte der Grund des Bruches mit Wagner kein außermusikalischer sein dürfen. — Wir sehen, wie schwer es offenbar ist, in der Musik den Gedanken zu erfassen. Denn sonst hätten sich diese unerhörten Geister nicht geirrt! Gerade den Gedanken haben sie aber nicht verstanden. Nicht einmal in seine *Nähe* kamen sie!

Ferner: Strindberg! — Haben Sie gelesen, was er über Wagner sagt? — Daß er alles Gute von Mendelssohn gestohlen hat. — Dann kam noch eine gedankliche Verkreuzung hinzu: er identifizierte die Walküre mit Nora — und Ibsen konnte er nicht leiden.

In neuester Zeit aber: Karl Kraus! — Das ist ein interessantes Kapitel. — Ich brauche nicht zu sagen, was mir Karl Kraus ist, wie hoch ich ihn verehre. — Aber hier irrt er fortwährend. — Nehmen wir den bekannten Aphorismus von der „Musik, die die Gedankenküste bespült"! — Das zeigt deutlich, daß es ihm nicht im geringsten möglich ist zu denken, daß in der Musik ein Gedanke verborgen ist. — Ich erinnere mich — es ist lange her —, da gab es einen Herwarth Walden, ein Stürmer und Dränger, der Karl Kraus sehr verehrte, Kokoschka propagierte und auch komponierte. Es war sogar von ihm etwas in der „Fackel" abgedruckt. Elendster Dilettantismus, keine Spur von Musik oder musikalischen Gedanken! Aber Karl Kraus hat das abgedruckt!

Wenn man das mit der bildenden Kunst vergleicht, ein solcher Tiefstand ist dort nicht zu denken. So absurd ist es, daß Karl Kraus sich derart geirrt hat! — Was ist der Grund? — Es scheint doch eine spezifische Begabung sein zu müssen, die man mitbekommen haben muß, um eine musikalische Idee zu erfassen.

Wie hören Menschen denn Musik? Wie hört sie die große Masse? — Sie muß sich anscheinend an irgendwelche Bilder und „Stimmungen" halten können. Wenn sie sich nicht eine grüne Wiese, einen blauen Himmel oder so etwas vorstellen kann, dann weiß sie sich nicht mehr zurechtzufinden. Wenn Sie mir jetzt zuhören, dann folgen Sie doch irgendeiner logischen, gedanklichen Entwicklung. So ein Mensch folgt aber doch wohl gar nicht den Tönen. Wenn ich etwas ganz Einfaches, etwas Einstimmiges vorsinge — „Es kommt ein Vogerl geflogen" oder die Hirtenmelodie aus „Tristan" —, wo also der musikalische Gedanke nur einen schmalen Raum ohne tiefere Dimension einnimmt, kommt es da nicht jedem zu Bewußtsein, daß da ein „Thema", eine Melodie, ein musikalischer Gedanke vorliegt? — Wenigstens für den, der in Musik denkt — und dazu will ich Sie ein wenig führen —, ist kein Zweifel, um was es sich da handelt. Ich erkenne, ob es sich um einen gemeinen, platten Gedanken handelt — das hat nichts damit zu tun, ob es ein bekannter Gedanke ist —, ich weiß den banalen vom höheren, wertvollen Gedanken zu unterscheiden. — Gerade der Satz von Karl Kraus über die „Gedankenküste" ist so charakteristisch! — Das soll doch wohl eine Herabsetzung sein. — Ist das, was Bach und Beethoven schrieben, „Stimmungsgeschmier" *neben* den Gedanken her? — Was ist also vielmehr das, was der Sprachlehre entspricht, die Karl Kraus — mit Recht — so hochstellt? — Die *Gesetze* der musikalischen Gestaltung!

Das Zweite, von dem Karl Kraus ausgeht, ist der „moralische Gewinn". Wenn man von den Gesetzen eine Ahnung bekommt, dann muß man doch in einem ganz anderen Verhältnis zu jenen Geistern stehen als vorher! Man kann es dann nicht so auffassen, daß das Werk sein kann oder auch nicht sein kann — sondern daß es sein hat *müssen*. Wo Besonderes ausgesagt wurde, dort mußten immer Jahrhunderte vergehen, bis die Menschen der Sache nahegekommen sind. — Das ist der „moralische Gewinn".

Wenn ich dann Goethe zitierte, um Ihnen meine Auffassung über Kunst näherzubringen, so war es: damit sie die Gesetzmäßigkeit in der Kunst wie in der Natur erkennen. Kunst ist ein Produkt der allgemeinen Natur in der besonderen Form der menschlichen Natur.

Welche Perspektiven eröffnen sich da! Es ist ein Vorgang, der von aller Willkür fern ist. — Ich erinnere mich da an ein Wort, das Schönberg beim Militär aussprach: Ein Vorgesetzter fragte ihn verwundert: „Sind Sie etwa der Komponist?" — Worauf Schönberg antwortete: „Ja, — keiner hat es sein wollen, da habe ich mich dazu hergeben müssen!"

Konkret gesprochen: Der Ton ist die gesetzmäßige Natur in bezug auf den Sinn des Ohres. — Wir haben nun neulich das Material angesehen und daran diese Gesetzmäßigkeit festgestellt. — Mir geht es immer wieder darum, Sie anzuleiten, in einer bestimmten Art zu denken und in dieser Art die Dinge anzuschauen. — Der Ton ist also, wie Sie gehört haben, ein Zusammengesetztes, zusammengesetzt aus Grundton und den Obertönen. Und nun hat sich der Prozeß vollzogen, daß die Musik von Stufe zu Stufe dieses zusammengesetzte Material fortschreitend ausgenützt hat. Dies ist der eine Weg: wie erst das Nächstliegende und dann das Fernerliegende herangezogen wurde. Nichts Falscheres also als die auch heute immer wieder auftauchende Ansicht, die es immer gab: „So wie früher soll man komponieren, nicht so voll Dissonanzen, wie jetzt!" — Denn wir stehen vor einer immer fortschreitenden Besitzergreifung des durch die Natur Gegebenen! — Die Reihe der Obertöne ist praktisch als eine unendliche zu bezeichnen. Immer feinere Differenzierungen sind da denkbar, und es ist unter diesem Gesichtspunkte nichts gegen die Bestrebungen der Vierteltonmusik und ähnliches zu sagen —, es ist nur die Frage, ob die heutige Zeit dazu schon reif ist. — Aber der Weg ist völlig richtig, durch die Natur des Tones gegeben. — Wir wollen uns also klar werden, daß das, was heute angefeindet wird, ebenso von Natur gegeben ist, wie das, was früher praktiziert wurde.

Und warum ist es wichtig, daß wir uns darüber Rechenschaft geben? — Schauen wir uns die Musik unserer Tage an! — Die Verwirrung scheint um sich zu greifen, es ist beispiellos, was da geschieht. Man spricht da von „Richtungen". — Doch davon später! — Oder: Welcher Richtung sollen wir glauben und vertrauen? — Es wird Ihnen ja bewußt sein, was ich unter diesen „Richtungen" meine.

Ich wiederhole: Die diatonische Reihe wurde nicht *er*funden, sondern *ge*funden. Sie ist also schon gegeben, und die Ableitung war uns sehr einfach und klar: die Obertöne des „Kräfteparallelogramms" der drei benachbarten, verwandten Töne bilden die Töne der Skala. Es sind also gerade die wichtigsten Obertöne, die im nächsten Verhältnis stehenden — etwas ganz Natürliches, nicht Eingebildetes —, die die diatonische Reihe bilden. — Was ist aber mit den dazwischenliegenden Tönen? — Da beginnt eine neue Epoche, damit werden wir uns später beschäftigen.

Der Dreiklang, über dessen Verschwinden die Leute sich so aufregen und der in der bisherigen Musik eine solche Rolle gespielt hat — was ist denn dieser Dreiklang? — Der erste vom Grundton verschiedene Oberton und der zweite — also eine Nachbildung dieser Obertöne und Nachahmung der Natur, der ersten im Ton gegebenen primitiven Verhältnisse. Darum klingt er unserem Ohr so angenehm und wurde zunächst verwendet.

Nun noch etwas, das — soviel ich weiß — von Schönberg als erstem ausgesprochen wurde: Diese einfachen Zusammenklänge nennt man Konsonanzen; man fand aber bald, daß die ferneren Obertonverhältnisse, die man als Dissonanzen bezeichnete, sich als eine Würze empfinden lassen. Wir müssen aber verstehen, daß Konsonanz und Dissonanz im Wesen sich nicht unterscheiden, daß es also kein wesentlicher, sondern nur ein gradueller Unterschied ist, der bei ihnen besteht. Die Dissonanz ist nur eine weitere Staffel auf der Leiter, die sich da fortentwickelt. Wir wissen nicht, wohin der Kampf gegen Schönberg führt, der vom Vorwurf der übermäßigen Verwendung der Dissonanzen ausgeht. Das ist natürlich ein Unsinn, das war der Kampf, den die Musik seit jeher zu führen hatte. Das hat man allen vorgeworfen, die einen Vorstoß wagten. – Im letzten Vierteljahrhundert war der Vorstoß allerdings ganz vehement und ein so großer, wie er – man kann das ruhig sagen – noch niemals in der Musikgeschichte vorgekommen ist. – Wer aber einen wesentlichen Unterschied annimmt zwischen Konsonanz und Dissonanz, der hat Unrecht, denn in den Tönen, wie sie die Natur gegeben hat, ist der ganze Bereich der Tonmöglichkeiten enthalten – und so war der Vorgang. – Ganz wichtig aber ist immer die Art der Anschauung.

Ebenso wichtig ist aber etwa anderes: Wir haben schon früher vom musikalischen Gedanken gesprochen. – Zu welchem Zwecke haben also die Menschen von jenem „durch die Natur Gegebenen" Gebrauch gemacht? Was hat sie veranlaßt, jene Tonreihen zu verwenden? – Es muß ein Bedürfnis bestanden haben, eine Notwendigkeit vorgelegen sein, daß das entstand, was wir Musik nennen. – Welche Notwendigkeit? – Etwas zu sagen, auszudrücken, einen Gedanken auszudrücken, der nicht anders auszudrücken ist als in Tönen. – Anders kann es nicht gewesen sein. Wozu die Arbeit, wenn man es in Worten sagen konnte? – Die Analogie finden wir bei der Malerei: Auch der Maler hat von der Farbe in gleicher Weise Besitz ergriffen. Es will jemand in Tönen etwas mitteilen, was anders nicht zu sagen ist. Die Musik ist in diesem Sinne eine Sprache.

Selbstverständlich sind bald Gesetzmäßigkeiten aufgetreten in bezug auf die Darstellung der musikalischen Gedanken. Solche Gesetzmäßigkeiten gibt es, seit es Musik gibt und musikalische Gedanken dargestellt werden.

So wollen wir versuchen, der Gesetze habhaft zu werden, die da zugrunde liegen müssen. – Wie sind die musikalischen Gedanken in dem durch die Natur gegebenen Material dargestellt worden?

So wollen wir möglichst klar unterscheiden lernen, was das wirklich Richtunggebende in der Neuen Musik sein kann.

(27. Februar 1933)

III.

Heute habe ich den Kopf nicht ganz bei der Sache, wegen eines Krankheitsfalles.

Es dreht sich uns nicht um Gesichtspunkte, sondern um Tatsachen. Wir wollen von der Entwicklung der Neuen Musik sprechen. – Was war für diese musikalischen Geschehnisse maßgebend? – Den einen Punkt haben wir das letzte Mal behandelt: die immer weiter gehende Eroberung des durch die Natur gegebenen Materials. Ich habe Ihnen die primitiven Dinge auseinandergesetzt, die Gewinnung der diatonischen Reihe, wie naturverwandt der einfache und der komplizierte Zusammenklang ist, daß die Entwicklung so war, daß man das Nächstliegende zuerst ergriffen hat. Beweis: der Dreiklang, der die Nachbildung der nächstliegenden Obertöne ist. Darauf folgte die immer weiter gehende Ausnützung dieser Gegebenheiten.

Der zweite Punkt aber ist: man hatte etwas zu *sagen.* — Was sagte man? — Gedanken. — Wie sind die Gedanken nach musikalischen Gesetzen formuliert worden? — Wir werden die Entwicklung hier in großen Zügen verfolgen, — mit dem Hintergedanken, daß eine dieser Richtungen, die sich da ergeben haben, darunter ist, die uns als Erfüllung dessen erscheinen muß, was die Meister der musikalischen Komposition, seit man in Musik denkt, erstrebt haben, worauf sie losgegangen sind.

Darstellung eines musikalischen Gedankens: wie will man sich das vorstellen? — Darstellung eines Gedankens in Tönen! — Mit dieser Absicht, einen Gedanken ausdrücken zu wollen, werden allgemein gültige Gesetze vorausgesetzt. Alles, was da geschehen ist, was angestrebt wird, geht darauf hinaus, diese Gesetze zu erfüllen. Es wird in Tönen etwas ausgesagt — also eine Analogie mit der Sprache. — Wenn ich etwas mitteilen will, dann tritt sofort die Notwendigkeit ein, daß ich mich *verständlich* mache. — Wie mache ich mich aber verständlich? — Indem ich mich möglichst *deutlich* ausdrücke. Es muß *klar* sein, was ich sage. Ich darf nicht umständlich herumreden um das, worum es sich handelt. Dafür haben wir ein bestimmtes Wort: *Faßlichkeit.* — Das oberste Prinzip jeder Darstellung eines Gedankens ist das Gesetz der Faßlichkeit. Es ist klar, daß dies das oberste Gesetz sein muß. — Was muß geschehen, damit ein musikalischer Gedanke faßlich wird? — Sehen Sie, alles was da in den verschiedenen Epochen geschehen ist, dient diesem einzigen Zweck.

Gehen wir einen Schritt weiter: Was drückt das Wort „Faßlichkeit" selbst aus? — Nehmen Sie das Wort genau im bildlichen Sinne: daß Sie etwas „fassen" wollen: wenn Sie einen Gegenstand in die Hand nehmen, dann haben Sie ihn gefaßt. — Aber ein Haus können wir nicht in die Hand nehmen und „fassen". Also im übertragenen Sinne: Faßlich ist etwas, was überblickbar ist, dessen Konturen ich unterscheiden kann. Vor einer glatten Fläche fehlt also auch die Möglichkeit des Fassenkönnens. Die Sache wird anders, wenn wenigstens etwas gegeben ist, ein Anfang. — Was ist aber so ein Anfang? — Damit kommen wir zur *Gliederung.*

Nun wollen wir das Bild erweitern! — Wir haben von der glatten Fläche gesprochen und sehen zum Beispiel hier die glatte Wand durch Pfeiler gegliedert. Natürlich ist das höchst primitiv, aber immerhin habe ich einen Anhaltspunkt der Gliederung. Ganz anders wird die Sache, wenn sich noch andere faßbare Stücke zeigen. — Was ist also Gliederung? — Allgemein gesprochen: Abschnitte hineinbringen! — Wozu dienen Abschnitte? — Um die Dinge auseinanderzuhalten, Haupt- und Nebensachen zu unterscheiden. — Dies ist notwendig, um sich verständlich zu machen, und muß daher auch in der Musik vorhanden sein. — Wenn Sie jemandem etwas klarmachen wollen, dann dürfen Sie die Hauptsache nicht vergessen, das Wichtigste, und wenn Sie etwas zur Erläuterung heranziehen, dürfen Sie nicht ins Hundertste und Tausendste kommen. — Es muß also ein *Zusammenhang* gegeben sein, sonst werden Sie unverständlich. — Hier haben wir ein Element, das eine besondere Rolle spielt: der Zusammenhang wird nötig sein, um einen Gedanken faßlich zu machen. — Schönberg hatte sogar die Absicht, ein Buch zu schreiben: „Vom Zusammenhang in der Musik". — Fassen wir zusammen, was wir allgemein ausgesprochen haben: Gliederung, also Unterscheidung von Haupt- und Nebensachen, und Zusammenhang.

Man könnte sagen, daß, seit Musik geschaffen wird, das Bestreben der meisten großen Künstler dahin geht, diesen Zusammenhang immer deutlicher zu machen. Alles was da geschehen ist, geht darauf hinaus, und ich glaube, daß in unserer Zeit ein weiterer Grad des Zusammenhanges gefunden worden ist, und zwar in der vielbefehdeten Kompositionsmethode, die Schönberg „Komposition mit zwölf aufeinander bezogenen Tönen" genannt hat. Wir werden diese Methode am Schluß der Vorträge behandeln. Das Wichtigste ist mir aber zu zeigen. wie sich dieser Weg vollzogen hat, und daß von uns diese Dinge angestrebt worden sind.

Die Komposition mit zwölf Tönen hat einen Grad der Vollendung des Zusammenhangs erreicht, wie er früher auch nicht annähernd vorhanden war. Es ist klar, wenn Beziehung und Zusammenhang überall gegeben ist, daß dann auch die Faßlichkeit garantiert ist. — Und alles andere ist Dilettantismus, sonst gar nichts, für alle Zeiten, und war es immer! — Das ist nicht nur in der Musik so, sondern überall. Ich kann es in der bildenden Kunst, in der Malerei, nur ahnen, nicht nachweisen, daß es auch dort solche Beziehungen gibt, die den Zusammenhang garantieren; aber ich weiß vor allem, daß es in der Sprache auch so ist.

Der Zusammenhang im Dienste der Faßlichkeit der Gedanken! — In den verschiedenen Epochen der musikalischen Kunst ist diesem Prinzip auf verschiedene Art Rechnung getragen worden. — Heute möchte ich mich aber nur noch mit einer Sache befassen, die für unsere Betrachtungen grundlegend ist. Wir wollen und müssen über den *Raum* sprechen, den ein musikalischer Gedanke einnehmen kann.

Jedenfalls ist es möglich und denkbar, zum Beispiel bei primitiven Volksgesängen, daß ein musikalischer Gedanke nur von einer einzigen Stimme gebracht wird. Und die Hirtenweise im „Tristan", also zu einer Zeit, in der sich in der Musik schon Kolossales ereignet hatte, ist ein Beispiel dafür, daß es möglich war, auch da noch mit einer einzigen Stimme so viel auszudrükken. — Und es wäre ein ganz unfaßbarer Gedanke, wenn jemand zu dieser Hirtenweise „zur Verdeutlichung" noch etwas hinzukomponieren wollte! Das was hier in der späteren Musik etwas Einmaliges ist, das ist in den Anfängen das Gewöhnliche. Den einstimmigen Gesang hat es in der abendländischen Musik als Regel gegeben im Gregorianischen Gesang. Damit sind wir rein historisch dort, von wo aus unsere Betrachtungen beginnen sollen, von wo aus wir den Weg verfolgen wollen.

Aber — um es schon hier zu sagen — man hat es bald für notwendig befunden, sich bei Darstellung eines musikalischen Gedankens nicht darauf zu beschränken, daß nur eine Stimme klingt; man hat mehr Raum zu schaffen gesucht. Wenn mehrere Stimmen gleichzeitig ertönen, so entsteht eine Tiefendimension, der Gedanke wird nicht durch eine Stimme allein ausgedrückt —

und das ist die Art der polyphonen Darstellung eines musikalischen Gedankens. — Wie ist das zu verstehen, daß es mit einer Stimme nicht genug ist, daß mehrere Stimmen herangezogen werden müssen, um einen musikalischen Gedanken darzustellen?
Um es nochmals klar herauszuarbeiten: Es hat sich sehr bald das Bedürfnis gezeigt, eine andere Dimension einzuschalten. Wie anfangs Gedanken sich durch eine Stimme fassen ließen, so sind später Gedanken lebendig geworden, für die diese Art der Darstellung nicht mehr ausreichte, so daß mehr Raum gewonnen werden mußte, daß zu der einen Stimme noch andere Stimmen hinzutreten mußten. — Das ist kein Zufall. Das kann kein Zufall sein! — Es ist nicht so gekommen, daß willkürlich eine Stimme hinzugesetzt wurde. — Der erste, der auf diese Idee kam — vielleicht hat er schlaflose Nächte verbracht —, er wußte: es *muß* so sein! — Warum? — Es ist nicht wie ein Kinderspielzeug entstanden: das absolut Notwendige hat den Schöpfer gezwungen, — er konnte nicht anders auskommen. Der Gedanke ist verteilt im Raum, er ist nicht allein in einer Stimme — sie kann allein den Gedanken nicht ausdrücken —, nur die Vereinigung der Stimmen bringt den Gedanken ganz zum Ausdruck. Der Gedanke hat es notwendig gehabt, daß er in mehreren Stimmen dargestellt wird. Die Mehrstimmigkeit ist dann rasch zu hoher Blüte gelangt. Ich möchte dafür Belege bringen. Wir wollen die Prinzipien behandeln, wie der Tonbereich allmählich ausgenützt wurde — das von der Natur im Ton Gegebene.

(7. März 1933)

IV.

Immer weniger Menschen — das gehört schon zum Vortrag! — bringen heute den Ernst und das Interesse auf zur Kunst. Das, was jetzt in Deutschland vorgeht, ist gleichbedeutend mit der Zerstörung des geistigen Lebens! Schauen wir auf unser Gebiet! Es ist interessant, daß die Veränderungen durch die Nazis fast ausschließlich Musiker betreffen, und man kann sich denken, was da noch kommt. — Was wird da aus unserem Kampf werden? (Wenn ich sage „unserem", dann meine ich jene Gruppe, die nicht auf äußeren Erfolg ausgeht.) — Und wenn auch viele, die daran glauben mußten, nicht zu jener idealen Richtung gehören, die ich meine, so hatten sie doch Niveau und man hatte ihnen ihr Amt gegeben, weil man ihnen einen gewissen Rang zubilligte. — Was wird aber noch kommen? — Etwa mit Schönberg? — Und wenn es auch heute mit dem Antisemitismus zusammenfällt — wer wird in Zukunft jemand anstellen, der nicht Jude ist und trotzdem was kann?! — „Kulturbolschewismus" heißt heute alles, was um Schönberg, Berg und mich — auch um Krenek — herum ist. Und was wird durch diesen Anti-Kulturwillen zerstört. vernichtet werden!
Aber schließen wir die Politik aus! — Was aber haben die Hitler, Göring, Goebbels für eine Vorstellung von Kunst? — Wenn ich mich bemüht habe

die Dinge Ihnen klarzumachen, die geschehen *müssen* – gleichgültig ob jemand da ist oder nicht –, so erfolgte das in einem ganz entgegengesetzten Geiste. – Man kann sich ja so schwer losmachen von der Politik, denn es geht um den Kragen! – Aber umso dringlicher ist die Aufgabe, zu retten, was zu retten ist. Wie sich das steigert und verändert! – Vor ein paar Jahren sah man wohl Veränderungen in der künstlerischen Produktion stattfinden – denn Kunst hat ihre eigenen Gesetze, sie hat mit Politik nichts zu tun –, aber man glaubte, daß es noch irgendwie gehen wird. Heute sind wir nicht weit davon, daß man ins Gefängnis kommt, *weil man ein ernster Künstler ist.* – Oder vielmehr: das ist ja schon geschehen! – Ich weiß nicht, was Hitler unter „Neuer Musik" versteht –, aber ich weiß, daß für diese Leute das, was wir als solche bezeichnen, ein Verbrechen ist. Der Moment ist nicht ferne, daß man eingesperrt wird, weil man solche Sachen schreibt. Zum mindesten ist man ausgeliefert, wirtschaftlich preisgegeben!

Werden sie sich in letzter Stunde noch besinnen? – Wenn nicht, dann geht das Geistige dem Untergange zu.

Nun sehen wir zu – in letzter Stunde gewissermaßen –, wie die von uns entwickelten Gedanken und Prinzipien der Faßlichkeit und des Zusammenhanges historisch sich aufrollen!

Wir haben besprochen, welcher Raum der Darstellung der musikalischen Gedanken angewiesen werden kann, und haben festgestellt, daß die Möglichkeit gegeben ist, daß der ganze Gedanke in einer einzigen Stimme, in einer Melodie zusammengefaßt wird, die für sich allein besteht. Und ich habe als Beispiel angeführt, daß es eine ganze Kunstgattung gab, in der die musikalischen Gedanken *nur* so dargestellt wurden: im Gregorianischen Gesang. Er ist im Zusammenhang mit dem Ritus der katholischen Kirche entstanden. (Übrigens ist ähnliches im jüdischen Ritual zu beobachten.) Aber – und nun passen Sie auf! – es hat sich das Bedürfnis gezeigt, diesen Raum zu erweitern, den musikalischen Gedanken so darzustellen, daß er nicht nur die Horizontale umfaßt, sondern auch die Tiefe der Mehrstimmigkeit. – Bei der Einstimmigkeit muß der Gedanke in der einen Stimme erledigt sein. Wie hat sich nun das musikalische Geschehen im Laufe der Jahrhunderte entwickelt? – Es hat sich der Stil der Niederländer sehr schnell herausgebildet – so daß er gegen Ende des 17. Jahrhunderts schon zu Ende ging. Er stellt eine große Blüte der Polyphonie dar. Wir werden uns später davon Rechenschaft geben, wie weit dort der Bereich der Töne ausgenützt und welche Mittel dabei verwendet wurden.

Wir sehen aber zu der Zeit, in der sich die Polyphonie immer reicher entwikkelte, eine andere Darstellungsmethode heraufkommen, die mit primitiveren Elementen im Zusammenhang steht, mit Tanzformen und dergleichen. – Was sehen wir nun, sich herausbilden? – (Es geht auf J. S. Bach zu, den Höhepunkt, der beide Darstellungsmethoden vereinigt.) Fußend auf der Idee, daß der Gedanke polyphon dargestellt werden kann, entwickelt sich die volkstümlichere Art der Tanzformen und es erscheint der Begriff der „Begleitung". – Was ist nun das? Was sollen wir uns unter „Begleitung" vorstellen? — Ich weiß nicht, ob diese Dinge unter diesem Gesichtspunkt schon behandelt worden sind, es ist mir aber wichtig, sie in diesem Sinne weiter zu verfolgen. Es ist doch merkwürdig, daß einer singt und der andere „was dazu macht"! — Es besteht also da eine Abstufung in Haupt- und Nebensache, also etwas anderes als in der echten Polyphonie. — Auch da ist der Gedanke nicht erschöpft in der einen Melodie, aber es sollen gewisse Richtungen der *musikalischen Funktionen* deutlicher gemacht werden. In dieser Zeit, die auf Bach und Händel zurückgeht — obwohl diese Zwei nicht in einem Atem zu nennen sind! —, müssen also jene Dinge maßgebend gewesen sein, die auf eine Darstellung zielten, bei der eine Stimme die wichtigste ist. Es ist die Zeit, in der eine außerordentliche Erweiterung des Tonbereiches durch die Hervorhebung des Harmonischen erfolgt ist.

Blicken wir zurück! (Hier gibt mir Schönbergs letzter Vortrag die Anregung.) Wir sind ausgegangen von der Siebentonreihe, und nun ist das Merkwürdige, daß in der Zeit Bachs die Eroberung der Zwölftonreihe und zugleich die der Harmonie erfolgt ist. — Diese Epoche aber ist abgelöst worden durch eine andere, die — zuerst in primitivster Weise — sich darauf beschränkt hat, zur einstimmigen Melodie zurückzukehren —, allerdings, da schon eine Polyphonie da war, mit einer „Begleitung", aber ohne Verwertung der echten Polyphonie.

Es ist die Zeit, in der der homophone Stil beginnt, die Zeit Monteverdis, die Zeit der Entwicklung der Oper, die sich darauf beschränkt, schöne Melodien für den Gesang zu erfinden und eine nur aufs notwendigste beschränkte Ergänzung der Melodie in der Begleitung zu geben. Diese Darstellungsmethode hat ihren Höhepunkt erreicht in der Wiener klassischen Schule. — Nun ist es aber interessant zu sehen, wie sich das wieder ablöst, wie man, nachdem man in der polyphonen Darstellungsart zu besonderen Dingen gekommen ist, sich wieder auf die primitivere Art beschränkt hat. Hier war wieder das Bestreben vorhanden, den musikalischen Gedanken in eine einzige Stimme zu pressen. Es ist denkbar, daß Sie eine Mozart-Melodie oder ein Beethoven-Thema ohne die Begleitung singen: da ist wirklich alles da, was auszudrücken war, gebracht in der einzigen Stimme. Und es ist interessant, daß die Funktion der Begleitung einen neuen Weg einschlägt, der wieder ausgebaut wird.

Wir wollen also gut auseinanderhalten, daß sich in der klassischen Musik wieder das Bestreben zeigt, den Gedanken in einer einzigen Linie auszudrücken. Nun geschahen aber interessante Dinge: Wie nämlich dem Zusatze der „Begleitung" zur einstimmigen Hauptlinie immer größere Bedeutung zukommt, wie eine Wandlung sich ganz allmählich ohne wesentliche Einschnitte vollzieht, aus dem Bestreben heraus, immer mehr Zusammenhang zu finden in dem, was den Hauptgedanken begleitet, also den Zusammenhang zwischen Hauptmelodie und Begleitung immer fester und enger zu gestalten. Das geschah ganz unmerklich und führte dazu, daß wir heute zu einer polyphonen Darstellungsweise gekommen sind. — Also wieder eine immer weitergehende Eroberung des Materials!

Ich möchte das noch in anderer Weise sagen: Spannen wir den ganzen Bogen:

Ein Wechsel in den Darstellungsmethoden hat sich ergeben, indem sich die Darstellung der musikalischen Gedanken entweder in einer Linie entwickelte oder in mehreren, und wir sehen, wie sich die beiden Methoden immer mehr gegenseitig durchdringen. Das Resultat dieser Bestrebungen ist die Musik unserer Zeit.

Wir können in vorgeschrittener Zeit nicht Werke schaffen nach Art der entlegeneren Zeiten, denn wir sind durch die Evolution des Harmonischen hindurchgegangen. Es hat sich in der Klassik das Bestreben gezeigt, den ganzen Gedanken in eine Linie zu pressen und dazu immer Ergänzungen in der Begleitung zu geben. – Wie können wir das, was heute in den Werken der Meister unserer Zeit vorliegt, unter diesen Gesichtspunkten verstehen? – Es ist das Ergebnis der gegenseitigen Durchdringung dieser beiden Darstellungsmethoden. Wir sind in einer Zeit polyphoner Darstellungsmethode angelangt und unsere Kompositionstechnik hat sehr viel Verwandtschaft mit den Darstellungsmethoden der Niederländer des 16. Jahrhunderts erreicht – aber natürlich mit allen Resultaten der Eroberung des harmonischen Tonbereichs.

Wir wollen nun an Beispielen untersuchen, wie sich die Dinge ereignet haben, wie man diese Prinzipien durchgeführt hat. – Gehen wir also zurück in die früheren Epochen! – Zunächst bringe ich etwas aus der Zeit der Einstimmigkeit, aus der Zeit des Gregorianischen Chorals:

Alleluja mit Vers im melismatischen Stil (ton VIII)

Wie kommt Ihnen das vor? – Ich habe neulich gesagt, erstes Prinzip ist die Faßlichkeit! – Wie ist das hier ausgedrückt? – Es ist zum Staunen, wie alle Prinzipien schon hier zum Vorschein kommen! – Was fällt uns da zuerst auf? – Die Wiederholung! – Es kommt uns fast kindisch vor. – Wie erreiche ich die Faßlichkeit am leichtesten? – Durch Wiederholung. – Darauf ist alle Formgebung aufgebaut, alle musikalischen Formen fußen auf diesem Prinzip.

Wenn ich das Stück nochmals spiele – da sehen wir drei Teile! Der zweite ist vom ersten verschieden, der dritte ist dem ersten gleich. – Das haben wir gefunden in einer Melodie aus dem 12. Jahrhundert! Es ist da schon der ganze Bau der großen symphonischen Formen genau so ausgedrückt wie in

den Symphonien Beethovens. Wir müssen uns klar machen, wie ist das alles so gekommen, was drückt das aus? — Nun, es ist zunächst eine symmetrische Gestalt A-B-A, wie sie dem Menschen schon am eigenen Leibe gegeben ist. Die Aufgabe war, eine Gestalt zu schaffen, die möglichst faßlich ist. Wir haben also einen dreiteiligen Bau, der sich als Ganzer wiederholt, und in den Teilen sind auch wieder Wiederholungen zu finden.
Zum Schlusse möchte ich mich wieder allgemeiner fassen. Ziehen wir aus dem Beispiel die Lehre: Aus dieser einfachen Erscheinung heraus, aus dieser Idee, etwas zweimal, öfter, möglichst oft zu sagen, sich verständlich zu machen, haben sich nun die kunstvollsten Dinge entwickelt, und wenn Sie wollen, können wir den Sprung in unsere Zeit machen: Unsere Zwölftonkomposition beruht darauf, daß ein gewisser Ablauf der zwölf Töne immer wiederkommt: Prinzip der Wiederholung!

(14. März 1933)

V.

Wir haben neulich die Epochen behandelt, in denen der musikalische Raum eine grundverschiedene Rolle gespielt hat. Wir haben festgestellt, daß es Epochen gab, in denen die eine Art der musikalischen Darstellung anders und mehr zum Ausdruck kam als in den anderen. Die Vermischung der Darstellungsmethoden in einzelnen historischen Zeiträumen ist das zweite, was wir behandelt haben.
Wir stellten andererseits — auch vom Historischen abgesehen — einen fortwährenden Wechsel zwischen größerer und geringerer Inanspruchnahme des musikalischen Raumes fest. Um dieses Gerüst der Darstellung des musikalischen Gedankens reiht sich dann alles andere, was dem Prinzip der Faßlichkeit dient.
An die Einstimmigkeit des Gregorianischen Chorals reiht sich eine Periode der Mehrstimmigkeit, die nicht nur bei den Niederländern sich zeigt, sondern auch bei Palestrina und den deutschen Meistern der Zeit. Was ist nun diesbezüglich für das Prinzip der Faßlichkeit geschehen?
Wir wollen dies alles von zwei Gesichtspunkten aus betrachten: einerseits von dem der Faßlichkeit und des Zusammenhangs, andererseits von dem der Eroberung des Tonbereiches.

Schluß eines *Rondeaus* von Jehannot de l'Escurel

Ein dreistimmiger Gesang auf französischen Text. Wir sehen, wie der Tonbereich allmählich die diatonische Reihe umfaßt.
Wissen Sie, wie diese Tonreihe verwendet wurde, in welchen Formen und Gestalten? — Ich meine da die Kirchentonarten. — Das ist die Zeit, in der sich die diatonische Reihe aus den Kirchentonarten entwickelt hat. Von bestimmten Tönen in ihrem Ablauf wurde ausgegangen. — Was sind die Kirchentonarten? Wie kam man von den Kirchentönen zur diatonischen Reihe? — Die Kirchentöne werden auf jeder Stufe der Siebentonreihe aufgebaut, enthalten also immer diese Reihe. Jonisch ist die Siebentonreihe von C aus, dorisch von D aus, phrygisch von E aus, lydisch von F aus, myxolydisch von G aus, aeolisch von A aus, hypophrygisch von H aus. Das Eigentümliche der jonischen Kirchentonart — unseres C-Dur — war, daß sie vor dem Wiedereintritt des Grundtons C einen Halbton, den sogenannten Leitton hatte.
Man kam nun bald darauf, daß es von besonderer Wirkung ist, mit dem Leitton und Grundton zu schließen, und so kam es, daß man in den anderen Reihen auch einen Halbton vor dem Wiedereintritt des Grundtons anbrachte. Dadurch war aber die Verschmelzung der Kirchentonarten in zwei Gruppen — nämlich Dur und Moll — und damit ihr Ende bewirkt. Der Untergang der Kirchentöne wurde also durch die hinzugekommenen tonartfremden Leittöne herbeigeführt, die man Akzidentien nennt. — In unserem Beispiel haben wir immer die sieben Töne; aber in dem Augenblick, wo statt des authentischen siebenten Tones der erhöhte hinzutrat — daher der Name „Akzidens" —, war etwas da, was zur Chromatik führte, nämlich ein Ton mehr. — In dem Augenblick, wo Dur und Moll allein vorhanden waren, begann die Periode J. S. Bachs. Damals waren die Zusätze schon so weit gegangen, daß alle zwölf Töne der chromatischen Skala verwendet werden konnten.

Aus einer dreistimmigen *Liedmotette* von Guillaume Dufay

Wir sehen den Schluß auf einem Ton. — Ein anderes Stück schließt mit der leeren Quint. Die Terz fehlt — es gab ja weder Dur noch Moll, die sich in der Terz maßgeblich unterscheiden. Sie sehen also wieder, daß das alles ganz naturgemäß ist: es konnte kein Dur und Moll geben — die Terz wurde als Dissonanz empfunden — man traute sich nicht, sie zu gebrauchen.

Ich will jetzt ein Beispiel von Ludwig Senfl aus dem 16. Jahrhundert zeigen, wo schon ein Schluß mit der Terz vorkommt.

Schluß einer fünfstimmigen *Tenormotette* von Ludwig Senfl

Es ist da im wesentlichen die Ausnützung der diatonischen Skala gegeben, mit dem schüchternen Versuch, mit der Terz zu schließen — was eine Annäherung an Dur und Moll bedeutet.
Nun betrachten wir die Epochen in anderer Hinsicht! — Was ist bezüglich der Darstellung der Gedanken zu beobachten? — Ich habe schon beim Gregorianischen Choral aufmerksam gemacht auf das unerhört wichtige Prinzip der Wiederholung zur Erhöhung der Faßlichkeit. — Nun sehen wir, daß alles was sich in diesem Sinne entwickelt hat, auf diesem Prinzip aufgebaut ist. — Wie ist es denn in diesem Beispiel? — Man kann eine Sache entweder auf die gleiche Art wiederholen oder in einem ähnlichen Sinne. — Hier sehen wir nun den Anfang der Mehrstimmigkeit fußend auf diesem Prinzip der Wiederholung in der Weise, daß die einzelnen Stimmen nicht beziehungslos nebeneinander hergehen, sondern daß zwischen ihnen eine Beziehung herbeigeführt ist, indem die dritte, vierte und sechste Stimme dasselbe singen? — Wie ist das möglich, daß mehrere Stimmen dasselbe hintereinander singen? Das ist das Wesen des Kanons, der denkbar engsten Beziehung zwischen mehreren Stimmen. — Dadurch, daß alle dasselbe zu verschiedenen Zeiten singen, ergibt sich die Notwendigkeit der Anwendung besonderer Kunstfertigkeit. Der Grund für alles ist aber immer das Bestreben nach möglichst großem Zusammenhang. — Durch die Verschiebung des Einsatzes trat eine Erhöhung der Bedeutung der Anfangsformel ein. — Im Anfang ist es nicht ein genauer Kanon, zu Anfang war aber immer das Bedürfnis vorhanden, daß jede Stimme so einsetzt, wie es der Vorsänger tat — eben, um eine Beziehung herzustellen. Imitatorischer Anfang!
Nun hat die Kombination gleich weiter geführt: Es kann etwas dasselbe sein, aber doch unter etwas geänderten Bedingungen: so, wenn der Ablauf

umgekehrt wird (Krebs). Man hat aber dann auch Folgendes getan: Man hat die Reihe der Töne wiederholt, indem man die Richtung der Intervalle umkehrte (Umkehrung). – Welche Schlüsse können wir daraus ziehen? Wie können wir das verstehen? – Wir sehen schon in dieser Epoche alle Bestrebungen der Komponisten darauf gerichtet, im Dienste der Faßlichkeit Zusammenhang herauszustellen zwischen den verschiedenen Stimmen.

Nun möchte ich mit Ihnen die Formen untersuchen, die sich aus dem Bestreben nach möglichst klarer Darstellung der Gedanken ergeben! – Es ist die nächste Epoche, die uns da Einblick gibt. – Wir fragen uns: Wie ist das Prinzip der Wiederholung anwendbar, wenn der Gedanke nur in einer Linie fortgeführt wird? – Spuren davon finden wir schon in der frühen mehrstimmigen Musik: die Sequenzen – eine gewisse rhythmische Folge wird wiederholt, und zwar von einer anderen Stufe aus. Aber nicht nur der Rhythmus wurde wiederholt, sondern die ganze Melodiefolge. – Das ereignet sich nun im Ablauf einer Linie. Früher sagten wir: der Zusammenhang wurde zuerst herbeigeführt durch Umkehrung und Krebs – aber damals war von Rhythmus noch nicht die Rede. Hier haben wir die Urform des *Motivs*. – Die Wiederholung des Motivs und wie man damit umgegangen ist, das zeigt uns die nächste Epoche: von Bach bis zur Entfaltung der klassischen Formen. Die höchste Blüte ist wohl bei Beethoven erreicht. – Was aber ist hier geschehen? – Die Wiederholung des Motivischen. – Als „Motiv" sprechen wir nach Schönberg den kleinsten Teil eines musikalischen Gedankens an, dem Selbständigkeit zukommt. – Woran erkennt man aber diese? – Eben an der Wiederholung!

Wir sehen schon im Gregorianischen Choral Ähnliches: Alles ist auf Wiederholung aufgebaut. – Wenn ich dagegen das ganz banale Melodiebeispiel „Kommt ein Vogerl geflogen" spiele, um wieviel fester geformt ist doch da alles gegenüber dem Gregorianischen Choral! – Dieser ist viel amorpher, viel weniger faßlich. – Das Bestreben, Ordnung zu schaffen, Ordnung hineinzubringen, ist beim Volkslied überall zu spüren. Wir haben damit die Form der *Periode*. – Mit dieser Form der Periode, mit dieser Gestaltung der Melodie, der Raumanweisung an die Töne, ist eine der allerwichtigsten Formen gegeben, in denen ein musikalischer Gedanke dargestellt werden kann, und in dieser Form sind dann die unerhörtesten Gedanken ausgedrückt worden.

Die Periode, wie ich sie hier aufgezeigt habe, ist aber nur die *eine* Form der Darstellung eines Gedankens in dieser Richtung der Melodiebildung, und zwar die primitivere, die vor allem im Volkslied sich findet. – Warum ist sie so einfach? – Weil sie die einfache Wiederholung ist. – Da aber umgekehrt diese Möglichkeit der Wiederholung gegeben ist, hat man das dahin ausgenützt, in der einzelnen Periode möglichst viel zu sagen, also einen Reichtum an musikalischen Gestalten unterzubringen.

Nun hat sich aber bald das Bedürfnis herausgestellt, das noch kunstvoller zu gestalten, und es ist eine Form entstanden für die Themenbildung, die ungefähr so ausgesehen hat:

J. S. Bach, *Englische Suiten*, Suite Nr. V, Sarabande

Man hat nicht wie in der Periode einen Viertakter gebildet (das ist die normale Form, besonders bei Beethoven), sondern hat nur einen Zweitakter gebildet und hat diesen sofort wiederholt; also statt vier Takten Vordersatz und vier Takten Nachsatz treten zwei Takte auf, die gleich wiederholt werden — und da man gleich wiederholt hat, also dasselbe nochmals gegeben hat, so konnte und mußte dann gleich etwas Neues dazukommen. Und zwar geschah das so, daß Motive *entwickelt* wurden. Entwickeln bedeutet aber wieder eine Art der Wiederholung.
So sehen wir, daß schon in der vollsten und reinsten Ausgestaltung ganz einfache Formen festgestellt worden sind. Alles, was nach Bach gekommen ist, wurde da schon vorbereitet. Wir sehen diese zwei Formen noch nicht einmal bei Mozart und Haydn so klar wie bei Beethoven. — Die Periode und der achttaktige Satz sind am reinsten bei Beethoven festzustellen, bei seinen Vorgängern sehen wir nur die Spuren davon. — Und diese zwei Formen sind das Grundelement, die Grundlage für alle Themenbildung bei den Klassikern und für alles, was weiter geworden ist in der Musik bis zu uns. Es ist eine weite Entwicklung, und es ist manchmal schwer, jene Grundelemente aufzufinden. Aber alles ist darauf zurückzuführen.
Und jetzt müssen wir richtig erkennen: Was drückt sich darin aus? — Warum sind diese Formen so entstanden? — Nun: zugrunde liegt das Bestreben, sich so faßlich als möglich auszudrücken. — Darüber werden wir das nächste Mal sprechen, und ich möchte hier nur noch eines sagen: Ich habe eine Richtung verfolgt, und jetzt sehen wir diesen Prozeß, diesen merkwürdigen Vorgang, daß das, was wir in der Polyphonie beobachtet haben — möglichst weitgehender Zusammenhang — also das, was man als die Künste der Niederländer bezeichnete — daß dieses Bestreben wiederum allmählich von diesen Dingen Besitz ergreift und daß da eine neue Polyphonie sich entwickelt.

(20. März 1933)

Wir haben nicht mehr so viel Zeit und müssen schauen, daß wir mit der Sache zu Ende kommen. Wir haben noch drei Vorträge. – Das letzte Mal haben wir uns etwas von der niederländischen Schule angesehen – da ist ein weiter Weg bis heute! Sie werden aber sehen, daß sich das alles überraschend glatt aufrollt.

Ich habe das letzte Mal über die Periode und den achttaktigen Satz gesprochen, wobei es sich aber um ein tieferes Problem handelte: In der niederländischen Schule war es zur höchsten Blüte der Mehrstimmigkeit gekommen, und später sehen wir diese ganze Polyphonie zu Ende gehen und es kommt etwas ganz anderes: Die Ausbildung der Formen, in denen die Darstellung der musikalischen Gedanken eine einzige Linie beansprucht. – In diesem Zusammenhang haben wir von den Formen gesprochen, und ich will Ihnen weiter zeigen, in welcher Weise diese Darstellung sich vervollkommnet hat. Es ist zu sehen, daß diese Formen weiterhin die Grundlage für alle Themenbildung abgegeben haben, denn alles was sich nach den Hochklassikern, besonders bei Schumann, Brahms, Mahler zeigt, fußt auf diesen Formen. Wir haben weiters an zwei Beispielen uns den Höhepunkt der Polyphonie vorgeführt und festgestellt – sagen wir es ganz klar, es wird auch für die Musik unserer Zeit klärend sein! –, wie die Eroberung des Tonbereiches allmählich erfolgt ist; nämlich: In der Zeit des polyphonen Stils beginnt zugleich die Entwicklung von der Diatonik zur Chromatik – zur Eroberung der zwölf Töne.

Ich rekapituliere: Zuerst erobern die Menschen die Siebentonreihe, und auf Grund dieser Reihe entstanden Gebilde, die über die Kirchentöne hinausführten. Und nun sehen wir, wie aus diesen Reihen allmählich zwei sich immer mehr herausbilden und die anderen verdrängen: jene zwei, die die Anordnung des heutigen Dur und Moll haben. Und zwar ist dabei das Merkwürdige, daß es das Schlußbedürfnis war, welches zu dieser Bevorzugung von zwei Kirchentonarten geführt hat, das Bedürfnis nach dem Leitton, der in den anderen Kirchentonarten gefehlt hat. Man hat ihn dann auch auf die anderen Reihen übertragen und diese sind dadurch den beiden verbleibenden angeglichen worden. Die Akzidentien haben also der Welt der Kirchentonarten den Gnadenstoß gegeben, und es ist damit die Welt unserer Dur- und Mollgeschlechter herausgekommen.

Nun wollen wir die weitere Eroberung des Tonbereiches anschauen! Die beiden Tongeschlechter Dur und Moll waren bis in unsere Zeit herauf herrschend; aber es gibt nun auch seit ungefähr einem Vierteljahrhundert eine neue Musik, die diese „Zweigeschlechtigkeit" aufgegeben hat, um zu einer einzigen Reihe zu kommen: zur chromatischen Skala.

Wie ist es denn zur Überwindung von Dur und Moll gekommen? – Die zersetzenden Elemente sind, wie bei der Auflösung der Kirchentonarten, herzuleiten von den Bestrebungen, eine besondere Art des Abschlusses zu finden. Es ist ein ganz analoger Fall! – Es sind im Zusammenhang mit diesem Be-

streben, die Tonart genau zu bestimmen, gerade am Schluß eines Stückes — bei der „Kadenz" — eine Reihe von Zusammenklängen entstanden, die solcher Art waren, daß sie nicht mehr eindeutig auf eine einzige Tonart bezogen werden konnten. Die vagierenden Akkorde, mehrdeutige Akkorde, sind aufgetreten, und man hat die auf diese Weise gegen Schluß verwendeten Akkorde auch im sonstigen Verlauf der Stücke herangezogen. So ist der Ablauf der Stücke immer vieldeutiger geworden, bis der Moment gekommen war, wo diese vagierenden Akkorde die am meisten verwendeten waren, und es kam der Augenblick, daß man den Grundton überhaupt aufgeben konnte.
In welcher Zeit hat sich denn das alles vollzogen? — Sprechen wir zuerst davon, wann und wo das Dur-Mollgeschlecht sich festgesetzt hat. — Es ist die Zeit, die nach der niederländischen Schule kam; jene Epoche, von der ich schon mehrmals gesprochen habe, und die mit dem Aufkommen der italienischen Oper gegeben ist. In dieser Zeit setzt sich das Dur-Mollgeschlecht endgültig fest.

J. S. Bach, *Christ lag in Todesbanden*, Choral

Wie können wir das begreifen? Was ist vor sich gegangen? Was spielt hier die Hauptrolle? — Wir wollen es nicht ästhetisch betrachten, sondern nur feststellen, wie es möglich geworden ist, daß das Heutige alles zustande kam. Es ist das Heraufkommen — oder vielmehr sie ist schon da — der Welt, in der die zwölf Töne regieren. — Hier ist ein Stück, das schon ganz und gar auf dem basiert, was wir Chromatik nennen: auf dem Fortschreiten in halben Tönen. — Der Halbton war ja auch in der diatonischen Musik gegeben —

zwischen dritter und vierter, siebenter und achter Stufe — und gerade da hatte die Zersetzung begonnen. Aus diesem Momente des Schließens kam — ganz analog — das gleiche bei der Dur- und Molltonart. Man hat nämlich von jeder Stufe aus die Dominante gebildet — die „Nebendominante" —, und in den Choralbearbeitungen ist dies schon durchgeführt. Es wurden Töne hineingebracht, die nicht hineingehörten: neuerliche Akzidentien. — Man kam dann in immer weitere Bezirke — bis die neuerlichen Akzidentien überwogen, und wieder bei den Schlüssen, wie man die Schlüsse immer reicher gestalten wollte, bei der Kadenz. — So ist es auch in unserer Zeit wieder geschehen: man hat, um die Dur-Molltonart immer reicher und interessanter zu gestalten, immer Weitergehendes herangezogen, und das hat dazu geführt, daß dem Dur-Mollgeschlecht der Garaus gemacht worden ist.

Wir wollen wieder zusammenfassen: Die Eroberung der Chromatik erfolgte in der gleichen Weise wie die von Dur und Moll. — Betrachten wir anderseits die Darstellung der Gedanken! — Was ist in dieser Epoche geschehen? — Ich habe schon erwähnt, daß unmittelbar vor Bach der Abbruch der Polyphonie und der Ausbau des Melodischen erfolgte. Etwas spielte da eine Rolle, das nicht übersehen werden darf: das Heraufkommen der *Instrumentalmusik* im Zusammenhang mit der Oper. Ich erwähne das, weil damit Elemente in das musikalische Geschehen getragen wurden, die aus einem anderen Bereiche kamen und auf alles Weitere, im Gegensatz zum streng Musikalischen, großen Einfluß gewannen; hierher gehören auch die Volksmusik mit ihrer instrumentalen Begleitung, und die Tanzformen. (Diese Tanzformen gewinnen im Zusammenhang mit der Instrumentalmusik einen bedeutenden Einfluß; wir sehen zum Beispiel bei Bach neben der Orgel die Laute — ich will nur andeuten, was da in dieser Entwicklung hineinkommt —, das Cembalo, die Suitenform, etc.). — Wichtig ist vor allem für uns, daß im Zusammenhang mit diesen Einflüssen die Formen entstanden sind, die grundlegend für die Entwicklung wurden. — Hier dreht es sich also wieder im Zusammenhang mit Bach um die Entwicklung des musikalischen Geschehens.

Es ist nun merkwürdig zu beobachten — ich habe absichtlich schon die grundlegenden Formen beschrieben: die Periode und den achttaktigen Satz —, daß die Reinkultur erst bei Beethoven festzustellen ist — nicht einmal noch so klar bei Mozart und Haydn. — Tatsächlich sind in den Melodien Bachs und seiner Zeit nur die Keime vorhanden für die bei Beethoven erreichte Höhe der Entwicklung.

Wie sieht so eine Melodie bei Bach aus?

J. S. Bach, *Matthäus-Passion*, Arie „Blute nur, du liebes Herz“

Wir haben hier das Wesen des achttaktigen Satzes schon vorgebaut: eine Figur wird wiederholt, dann folgen zwei Variationen davon, und wieder die Wiederholung. Ganz deutlich ist eine Entwicklung des Gedankens festzustellen. Das ist schon die Form des achttaktigen Satzes, wie er bei Beethoven am klarsten in Erscheinung tritt; es ist jene Form, die in der Nachklassik am meisten bevorzugt wurde. Jedenfalls ist sie mehr als die Periode gebraucht worden. (Es ist nicht so wichtig, daß Sie diese Form wirklich ganz verstehen, sondern Sie sollen nur begreifen, was mit ihr bezweckt worden ist.) – Ich will Ihnen jetzt eine Stelle aus einer Sonate Beethovens zeigen, die als achttaktiger Satz zu bezeichnen ist:

L. v. Beethoven, *Klaviersonate op. 2, Nr. 1*, Erster Satz

Wir sehen wieder eine Gestalt, die wiederholt und entwickelt wird.

Arnold Schoenberg, *Verklärte Nacht*, I. Violine, Seitensatz in E-dur

Wieder haben wir die periodische Fassung. Zugrunde liegt immer die gleiche

Form. Es ist nichts Neues gekommen, aber man hat die Formen immer freier behandelt.
Was heißt das, „freier behandeln"? — So wie dort die Wiederholungen wörtlich erfolgen und in lückenloser Art, wie die Ringe einer Kette, so ist man später freier geworden, indem man gewisse Zwischenglieder ausgelassen hat, weil man sich — gleichnisweise — gedacht hat: „Einmal war es ja schon da, ich kann daher auf etwas anderes überspringen, ohne die Entwicklung breiter auszuführen." — Die Dinge wurden unvermittelter aneinander gerückt, das macht natürlich das Verstehen schwieriger. — Was spielt aber noch eine Rolle? — Daß man die Wiederholungen immer freier ausgeführt hat, das Fortschreiten durch Veränderungen, indem man die Entwicklung, die mit einem Motiv erreicht wurde, immer weiter führte. Die Bögen sind länger geworden, immer weiter ausgesponnen.
Fassen wir nochmals zusammen, denn ich will ja noch von der Neuen Musik selbst sprechen! — Ich hoffe aber, daß das Bild im großen und ganzen schon gegeben ist. — Also nochmals, schlagwortartig nebeneinandergesetzt: Diatonische Reihe. — Vernichtung der Kirchentöne. — Andererseits in formaler Beziehung höchste Blüte der Polyphonie durch immer größeren Zusammenhang, mit dem Resultat, daß man in der letzten niederländischen Schule ein ganzes Stück aus einer Reihe mit Umkehrung, Krebs, geändertem Rhythmus etc. aufbaut. Mehr Zusammenhang ist ja nicht möglich, weil alles dasselbe zu sagen hat. — Dann wieder aus — weg damit! Was kam? — Ausbau der Melodie, Dur-Moll, Eroberung der Chromatik. — Das ist nur die Vokalmusik. — Dazu schlich sich die Instrumentalmusik herein, auf Instrumenten spielen wurde kunstfähig, eine neue Ausdrucksform im Zusammenhang mit dem Volksliede. — Beethoven. — Und die Eroberung des Tonbereiches? — Nach den Klassikern: Sprengung der Tonalität.
Wir sehen also: Immer mehr Eroberungen des durch den Ton gegebenen Bereiches — mit Goethe — „der gesetzmäßigen Natur in bezug auf den Sinn des Ohres" — und wie das Streben nach Faßlichkeit immer mehr Zusammenhang zu schaffen sucht, eben weil durch den Zusammenhang die Faßlichkeit erhöht wird.
Nun wollen wir sehen, wie sich diese Elemente weiter entwickelt und zu dem geführt haben, was seit einem Jahrzehnt sich ausbildete: Die Komposition mit zwölf aufeinander bezogenen Tönen. — Sie ist das Resultat der zwei von uns bisher beobachteten Komponenten. — Es ist falsch, zu glauben, daß sie nur „Tonalitätsersatz" ist. Vor allem ist hier das Moment der Faßlichkeit wichtig: immer mehr Zusammenhang hineinzubringen! — Das ist die Ursache gewesen für diese Art von Komposition.

(27. März 1933)

VII.

Wir wollen heute die Neue Musik untersuchen auf die zwei Momente hin, die wir als die wichtigsten erkannt haben: die Eroberung des Tonbereiches und die Darstellung der Gedanken!

Zuerst will ich von der Darstellung der Gedanken sprechen. — Wir kommen jetzt schnurstracks in die neueste Zeit — und da will ich gleich ausdrücklich sagen, von welcher Neuen Musik ich sprechen möchte: Es ist die durch Schönberg heraufgekommene Musik und die von ihm erfundene Kompositionstechnik, die seit etwa zwölf Jahren besteht und die er selbst bezeichnet als „Komposition mit zwölf aufeinander bezogenen Tönen“. Diese Musik meine ich — denn alles andere ist höchstens in der Nähe dieser Technik oder befindet sich in bewußtem Gegensatz zu ihr und benützt dann einen Stil, den man nicht weiter untersuchen muß, weil er über das nicht hinauskommt, was die nachklassische Musik gebracht hat, und nur das eine tut, daß er sie verpatzt. Am weitesten gekommen ist eben die Musik, der Stil, den Schönberg gebracht hat und den seine Schüler fortgeführt haben.
Diese Vorträge sollen den Sinn haben, zu zeigen, wie der Weg zu dieser Musik gegangen ist, und es soll sichtbar werden, wie er ganz natürlich dort münden mußte. — Ich habe das letzte Mal schon hervorgehoben, daß zu dieser Neuen Musik, wie sie von Schönberg geschaffen wurde, direkt nicht nur das eine geführt hat — die Entwicklung des Tonbereiches und seine immer weitere Erfassung —, sondern auch das andere Moment: die Darstellung der Gedanken oder das, was für die Darstellung der Gedanken in Betracht kommt. Darum war es mir wichtig, die Betrachtung auf diese zwei Momente zu beziehen.
Zuerst also die Darstellung der Gedanken! — Ich sprach neulich davon, daß nach dem Abbruch von der Höhe des polyphonen Stils der niederländischen Schule anfangs des 17. Jahrhunderts alle Bestrebungen in der Richtung auf eine Schaffung von Formen gegangen sind, die geeignet waren, dem Bestreben nach Klarheit Ausdruck zu geben. Es ist nun zur Ausbildung jener klassischen Formen gekommen, die in Beethoven ihren reinsten Ausdruck gefunden haben: in der Periode und im achttaktigen Satz.
Es ist Tatsache, und es kann niemand den Gegenbeweis erbringen, daß alles, was sich seither begeben hat, auf diese Formen zurückzuführen ist. Es sind die Formen für die Ausführung der Hauptgedanken, es sind die Zyklen, die sich bei den Klassikern in Symphonie und Kammermusik entwickelt haben, und es sind die Formen, die sich, soweit es sich um geschlossene Stücke handelt, in der Oper finden. Ich habe neulich schon bemerkt, daß mit dem homophonen Stil der italienischen Oper die Instrumentalmusik aufgekommen ist, und angedeutet, welche Formen in Verbindung mit volkstümlichen Tänzen etc. gewonnen wurden. Ich denke da besonders an die Suite der Vorgänger von Bach und von ihm selbst, mit Menuett, Sarabande, Gigue etc., mit einem Präludium an der Spitze und mit einem Gesangssatz, dem Air. Da sehen wir schon die Hauptzüge der Formen, die sich später in den Symphonien zeigen. Die meisten Formen wurden wieder abgestoßen, und es blieben nur: das Scherzo — bei Haydn oft noch als Menuett bezeichnet —, das Air, welches sich in das Adagio des zweiten Satzes bei Beethoven verwandelte, und der „Kehraus“, der sich in das Rondo umbildete.
Es fehlt uns aber noch ein Satz, der erste — der eigentliche Sonatensatz, der

damals aufkam und der zu dem kunstvollsten und reichsten Satz des Zyklus gestaltet wurde. Es soll uns klar werden, was da geschehen ist: Darstellung eines Gedankens war immer das Ziel. Bei Beethoven ist das Ende dieser Entwicklung jener Formen erreicht, in denen der Gedanke dargestellt wurde. — Was dann geworden ist — nach Beethoven — also Schubert, Schumann, Mendelssohn, Brahms, Bruckner, Mahler —, das bedient sich alles dieser Formen, und ebenso auch unsere Musik, die Musik unserer Tage. Die Entwicklung dauerte also rund zwei Jahrhunderte, von Bachs Vorläufern bis Beethoven.

Eine Symphonie von Mahler sieht freilich anders aus in der Zusammensetzung als eine von Beethoven; aber im Wesen ist es dasselbe, und ein Thema von Schönberg fußt auch auf jenen Formen der Periode und des achttaktigen Satzes. — Die Periode kommt mehr vom Liede her. Sie wurde besonders von Beethoven im Adagio verwendet. Sie kommt also gewissermaßen vom „allerfaßlichsten" her. — Nun zeigt es sich, daß man in der Entwicklung nach Beethoven mehr vom achttaktigen Satze Gebrauch gemacht hat. Es ist später — etwa bei Brahms — nicht ganz leicht, die Stücke auf jene Formtypen zurückzuführen; aber sie sind doch da. Auch die moderne Symphonie beruht einfach auf diesen Formen, und niemand zerbricht sich den Kopf, um etwas Neues zu finden. Es ist vielmehr das Bestreben der letzten Jahre, diese Formen ganz streng einzuhalten. Aber das ist eben erst heute wieder möglich geworden.

Was ist also jetzt in der Darstellung eines Gedankens gegeben? — Eine Oberstimme und ihre Begleitung. Aus dieser Raumverteilung sind die Formen entstanden. Wir haben schon oft das Bestreben erwähnt, im Interesse der Faßlichkeit den Zusammenhang immer dichter zu gestalten. Wie hat sich dieses Bestreben in der Zeit seit den Klassikern geäußert? — Ohne theoretischen Ballast wollen wir das so sagen: Man hat frühzeitig damit begonnen, das, was in der Oberstimme an Gestalten gegeben war, auszunützen und auf den übrigen musikalischen Raum auszudehnen. Wenn man es schematisch darstellen will, so kann man sagen, daß eben die Durchführung der in den Gestalten der Oberstimme enthaltenen Motive besonders ausgebaut wurde. Es sollte nicht irgend etwas vom Himmel geschneit kommen, sondern es sollte alles Bezug haben auf das, was schon in der Hauptstimme da war. Man hat sich also schon sehr bald bemüht, „thematisch" zu bleiben, die Dinge und Teilformen aus dem Hauptthema zu beziehen. — Ich will nun einiges davon erwähnen: Ich sprach von der Durchführung als dem eigentlichen Raum, der dazu geschaffen wurde, um dort das Thema zu „behandeln". — Wie geschieht das nun? — Indem man das Thema in verschiedenen Kombinationen wiederholt, indem man etwas bringt, was nicht nur der thematische Ablauf in der Horizontalen ist, sondern auch in der Vertikalen — also wieder das Heraufkommen des polyphonen Denkens. Und da sind die Klassiker vielfach zu Formen gekommen, die sich an die „alten Niederländer" anlehnen: im Kanon, im Imitatorischen. — Ferner muß ich nachträglich darauf hinweisen, daß zur Zeit von Bach und bei ihm selbst sich eine

Form der Darstellung besonders entwickelt hat: die Fuge. Das ist ein Gebilde, das absolut aus dem Bestreben entstanden ist, den Zusammenhang möglichst eng zu gestalten: alles wird aus dem Thema abgeleitet. – Die symphonische Form der Klassiker hat auch darauf zurückgegriffen, und es ist nun sehr merkwürdig, daß es das, was wir als Fuge kennen, zur Zeit der Niederländer eigentlich noch nicht gegeben hat. Denn die Fuge kam vom Instrumentalen her. Hier hat sich eine polyphone Form des musikalischen Denkens ganz abseits vom Vokalen entwickelt.

Wir haben von Bach auch in bezug auf die Bereicherung des Tonraumes gesprochen. *Denn alles findet bei Bach statt*: die Ausbildung der zyklischen Formen, die Eroberung des Tonbereiches – dabei das ungeheure polyphone Denken! In der Horizontalen und in der Vertikalen. – Und da wollen wir wieder Früheres aufgreifen! Es ist bedeutsam, daß die letzte Schöpfung von Bach die „Kunst der Fuge" war – ein Werk, das völlig ins Abstrakte führt, eine Musik, der alles fehlt, was sonst durch die Notierung gekennzeichnet wird: ob für Gesang oder Instrumente, keine Vortragszeichen, gar nichts steht da. Es ist wirklich fast ein Abstraktum – oder ich möchte lieber sagen: *die höchste Realität*! – Alle diese Fugen sind geschaffen auf Grund eines einzigen Themas, das immer wieder abgewandelt wird: ein dickes Buch von musikalischen Gedanken, dessen ganzer Inhalt von einem einzigen Gedanken ausgeht!

Was bedeutet das alles? – Das Bestreben höchster Zusammenfassung. Es ist alles aus Einem abgeleitet, aus dem einen Fugenthema! Es ist alles „thematisch". – Und jetzt hat sich das wieder in den späteren Formen im Durchführungsteil eingeschlichen. Dort war nun der Tummelplatz, so wie früher in der Fuge. – Allmählich zeigt sich auch in der „Begleitung" das Bestreben, ebenfalls thematisch zu arbeiten; eine Veränderung, ein Ausbau der ursprünglich primitiven Formen hat begonnen. – So sehen wir, daß diese Art zu denken, wie wir es tun, das Ideal war für die Komponisten aller Zeiten. (Anders ist es etwa bei den Leitmotiven Wagners. Wenn da zum Beispiel das Siegfriedmotiv mehrfach auftritt, weil es die Dramatik verlangt, so ist zwar auch ein Zusammenhang da, aber nur ein dramatischer, kein thematisch-musikalischer. – Natürlich hat Wagner oft auch thematisch streng gearbeitet, und übrigens spielt gerade er eine große Rolle in der Herstellung musikalischen Zusammenhangs in Verbindung mit dem Dramatischen.)

Aus *einem* Hauptgedanken alles Weitere entwickeln! – das ist der stärkste Zusammenhang – wenn eben alle dasselbe machen; so wie bei den Niederländern, wo das Thema von jeder einzelnen Stimme in allen möglichen Veränderungen und mit verschiedenen Einsätzen und in verschiedenen Lagen gebracht wurde. Freilich, in welcher Form? – Hier setzt eben die Kunst ein! Aber immer muß es heißen: Thematik, Thematik, Thematik!

Da spielt nun eine Form eine besondere Rolle: die *Variation*. – Ich erinnere an die Diabelli-Variationen von Beethoven. Die Großen haben sich manchmal etwas ganz Banales als Grundlage für Variationen herausgesucht. Immer wieder zeigt sich das gleiche Bestreben, eine Musik zu schreiben, in der der größte Zusammenhang garantiert ist. Später hat sich die Variation in die Zyklen der Sonate eingebürgert, besonders bei Beethoven in den zweiten Sätzen, vor allem aber im letzten Satz der Neunten Symphonie, wo alles auf die achttaktige Periode des Hauptthemas zurückzuführen ist. So einfach und faßlich wie nur möglich mußte diese Melodie sein; sogar nur einstimmig wird sie vorerst gebracht, so wie die Niederländer zuerst nur die fünf Noten oben hinschrieben, aus denen alles abgeleitet wurde. — Immer wieder Veränderungen ein und derselben Sache! — Verfolgen wir das weiter! — Brahms, Reger haben das aufgenommen. — Übrigens hat auch Bach schon so geschrieben — Bach hat eben alles komponiert, sich mit allem befaßt, was etwas zu denken gibt!

Aus der Begleitung wurde aber auch etwas anderes: Man bestrebte sich, dem Komplex, der neben dem Hauptgedanken einherging, noch eine besondere Bedeutung zu geben, mehr Selbständigkeit als sie einer bloßen Begleitung zukommt. — Und da hat den Hauptvorstoß Gustav Mahler geleistet — das wird meistens zu wenig beachtet! — So wurde aus den Begleitformen eine Reihe von Gegengestalten zum Hauptthema — und das ist eben polyphones Denken! — Der Stil also, den Schönberg und seine Schule sucht, ist eine neue Durchdringung des musikalischen Materials in der Horizontalen und in der Vertikalen, eine Polyphonie, die ihre Höhepunkte bisher gefunden hat bei den Niederländern und bei Bach, und dann weiter bei den Klassikern. Immer wieder das Bestreben, aus einem Hauptgedanken möglichst viel abzuleiten. Man muß es so sagen, denn wir schreiben ja eben die Formen der Klassiker, die sind ja nicht weg. — Alles, was diese an kunstvollen Formen gefunden haben, findet sich auch in der Neuen Musik. Nicht um eine Wiedereroberung oder Wiedererweckung der Niederländer handelt es sich, sondern um eine neue Ausfüllung ihrer Formen im Durchgange durch die Klassiker; eine Verknüpfung dieser beiden Dinge. Es ist natürlich auch nicht ein rein polyphones Denken: es ist beides zusammen.

Also das wollen wir festhalten: über die Formen der Klassiker sind wir nicht hinaus. Was später gekommen ist, war nur Veränderung, Erweiterung, Verkürzung — aber die Formen sind geblieben — auch bei Schönberg!

Alles das ist geblieben — aber verändert hat sich doch etwas: nämlich das Bestreben, den Zusammenhang immer dichter herzustellen und so wieder zum polyphonen Denken zu kommen. Eine besondere Bedeutung hat in dieser Beziehung Brahms — und dann auch Gustav Mahler, worauf ich nochmals hinweisen muß. — Wenn Sie fragen: Was ist mit Bruckner und den anderen? — so möchte ich sagen: Alles auf einmal geht nicht im Rahmen eines Menschenlebens. Bei Bruckner handelt es sich um die Eroberung des Tonbereichs. Er hat dessen Erweiterungen, wie sie durch Wagner gegeben waren, auf das Symphonische übergeleitet. Im übrigen ist er gewiß nicht so bahnbrechend gewesen — wohl aber wieder Mahler. Mit diesem erreichen wir die moderne Zeit.

Nun will ich noch rasch mit Ihnen den anderen Punkt betrachten: die Erweiterung des Tonbereichs!

Ich habe das letzte Mal eine Choralbearbeitung von Bach gebracht als Beispiel dafür, daß bei Bach schon das gegeben war, was von den Späteren, den Klassikern, und nicht einmal von Brahms überholt worden ist: Etwas Sinnvolleres als diese Konstruktionen Bachs läßt sich nicht denken! — Und das ist von Beethoven und Schubert nicht besser gemacht worden. Im Gegenteil! — Ihnen war vielleicht anderes wichtiger. — Was ist der Sinn dieser Choräle? — Musterexemplare musikalischen Denkens zu geben auf Grund der beiden Tongeschlechter Dur und Moll, die damals schon durchgebildet waren! — Hier habe ich 371 vierstimmige Choralgesänge von Bach — es könnten auch 5000 sein! — er konnte sich nicht Genüge tun. — Zu praktischen Zwecken? — Nein, zu künstlerischen Zwecken! — *Klarheit* wollte er finden!

Und doch ist dadurch schon der Todeskeim in die Tongeschlechter Dur und Moll getrieben worden. — Wie man bei den Kirchentonarten im Bestreben zu schließen zum „liebenswürdigeren" Halbton, zum Leitton, kam, wie dort alles andere wegrasiert wurde — so ist es auch jetzt wieder gekommen — das Dur und Moll wurde zerrissen — mitleidslos — der Todeskeim war da! Warum rede ich davon so viel? — Weil es Dur und Moll seit einem Vierteljahrhundert nicht mehr gibt. — Nur wissen das die wenigsten Menschen heute. — Es war ja so reizvoll, immer weiter weg zu fliegen in die entferntesten Tongebiete und dann wieder hineinzuschlüpfen in das warme Nest der ursprünglichen Tonart! — Und auf einmal ist man nicht mehr zurückgekommen — so ein Luder von Akkord ist ja so vieldeutig! — Es war so schön, die Federn einzuziehen — aber schließlich fand man, daß es nicht mehr so nötig sei, zum Grundton zurückzukommen. — Bis Beethoven und Brahms ist man nicht eigentlich darüber hinaus gekommen — aber da war einer, der mit Gewalt alles sprengte: Wagner — und dann kamen Bruckner und Hugo Wolf — und es kam auch Richard Strauß und hat auch herumgemacht — sehr kunstvoll! — und viele andere noch — und das hat dem Dur-Moll-Geschlecht den Rest gegeben.

Zusammenfassend ist zu sagen: Wie die Kirchentöne verschwanden und nur zwei Tonarten Platz machten, so sind dann jene zwei auch verschwunden und haben einer einzigen Reihe Platz gemacht: der chromatischen Skala. — Die Beziehung auf einen Grundton — die Tonalität — ist verloren gegangen. — Das hat aber mit hineingehört in das andere Kapitel: Darstellung der Gedanken. — Die Beziehung auf einen Grundton hatte jenen Bauwerken ein wesentliches Fundament gegeben. Sie war formbildend, im gewissen Sinne Zusammenhang bildend. — Diese Beziehung auf einen Grundton war das Wesen der Tonalität. — Durch alle die angedeuteten Ereignisse ist es nun gekommen, daß diese Beziehung zunächst nicht mehr so nötig war und schließlich völlig verschwand. Eine gewisse Vieldeutigkeit mancher Akkorde hatte sie überflüssig gemacht. — Und da der Ton die Gesetzmäßigkeit ist in bezug auf den Sinn des Ohres, und Dinge sich ereignet haben, die in den früheren Jahrhunderten nicht da waren, und da Beziehungen weggefallen sind, ohne daß es das Ohr beleidigte, so müssen doch wohl andere Gesetzmäßigkeiten heraufgekommen sein, über die wir heute schon Verschiedenes aussagen können. — Es entstanden harmonische Komplexe von solcher Art, daß die Beziehung auf einen Grundton hinfällig wurde. Das vollzog sich von Wagner bis zu Schönberg, dessen erste Werke noch tonal waren. Aber in der von ihm ausgebildeten Harmonik ist die Beziehung auf einen Grundton unnötig geworden, und damit ist etwas gefallen, was von der Zeit kurz vor Bach bis zu uns die Grundlage des musikalischen Denkens gebildet hat: Dur und Moll verschwanden. Schönberg spricht dies in dem Vergleich aus: Aus der Zweigeschlechtigkeit ist ein Übergeschlecht entstanden!

(3. April 1933)

VIII.

Wir wollen heute das letzte Stadium der Entwicklung verfolgen und wollen uns zuerst wieder mit dem Punkte befassen, der die Auflösung der beiden Tongeschlechter Dur und Moll betrifft: das Verschwinden der Tonarten. — Neulich haben wir einiges davon schon in Betracht gezogen, als wir davon sprachen, von wo aus die Zersetzung ausgegangen ist. Ich habe erwähnt, daß schon in der Harmonisierung der Bachschen Choräle die Tonalität einen argen Stoß erlitten hat. Es ist sehr schwer, das Letzte, das sich ereignet hat, verständlich zu machen; es ist aber wichtig, darüber zu sprechen, da in jüngster Zeit Stimmen laut wurden, die diesen Zustand, obgleich er seit einem Vierteljahrhundert besteht, als eine ganz neue Erfindung hinstellen wollen. Ich will nicht polemisieren, aber es wird jetzt viel davon gesprochen, im Zusammenhang natürlich mit der politischen Entwicklung, und die Sache wird so dargestellt, als ob das alles der deutschen Seele im Grunde fremd und zuwider wäre, als ob das Ganze ein ganz junges Hühnchen wäre — derweil ist es ein altes Huhn, das schon ein Vierteljahrhundert alt ist, etwas, was schon längst besteht, etwas, bei dem eine Zurückschiebung gar nicht mehr möglich ist — wie sollte denn das auch geschehen? — Ich weiß nicht, ob die Leute den Kirchentonarten auch so nachgeweint haben — heute wird wegen der Tonalität jedenfalls furchtbar gejammert und geschrien.

Wir wollen uns darüber ganz klar werden, damit Sie wissen, ob Sie mir glauben sollen oder nicht! — Ich wollte zeigen, daß es sich hier um einen ganz analogen Prozeß handelt wie früher. Ich sage das vor allem deshalb, weil kürzlich in der Zeitschrift „Radio Wien“, also für die breiteste Öffentlichkeit, ein Herr Rinaldini — er soll auch so ein „deutscher“ Komponist sein — darüber geschrieben hat, man keife jetzt darüber, ob man die Tonalität aufgeben soll. — Nun, das tut *er*; uns ist es ganz klar, wir brauchen nicht zu keifen! — Wie ich neulich sagte: Keiner ist darüber hinausgelangt über unseren Stil, — und über die anderen, die immer nur das Alte schreiben, braucht man nicht zu reden.

Auflösung der Tonalität: Im Zusammenhang mit der besonderen Art der Harmonisierung bei Bach, dann mit den Nebendominanten, mit dem Bestreben, andere Stufen mit ihrer Dominante heranzuziehen, kam es zur Verwendung von Tönen, die in der betreffenden Tonart nicht mehr leitereigen waren. C-Dur hat zum Beispiel kein Fis, es hat überhaupt keinen erhöhten Ton; wenn ich also in C-Dur Fis verwende — etwa von der Dominante aus, die zur fünften Stufe führt —, dann habe ich die Tonart durchbrochen. Das ist eine Modulation. Aber ich will es nicht als solche nehmen, sondern in Beziehung setzen zur Grundtonart, und diese ist dann eben zerstört. Man hat dann eben etwas anderes dazugeholt.

Die Moll-Unterdominante F-As-C spielt dabei ebenfalls eine Rolle. Populär gesprochen handelt es sich — von C-Dur aus — um die „Eroberung der schwarzen Tasten". — Das ist dann noch weiter gegangen: dort wo man schließen wollte, ergaben sich die Keime zur Zerstörung. — Durch Analogie sind die Kirchentöne verschwunden, durch Analogie kommt es auch zur Auflösung von Dur und Moll. Jede Stufe stand plötzlich doppelt da — so hieß zum Beispiel in C-Dur die zweite Stufe jetzt D oder Dis. Nun verfolgen wir das weiter: Wenn jede Stufe doppelt war, dann hatte man ja schon die zwölf Töne — aber immer noch in Beziehung auf den Grundton, auf die Tonart.

Dazu kam nun der Ausbau der Harmonik: Zuerst kamen die vieldeutigen Akkorde, zum Beispiel der verminderte Septakkord, der auf vier Tonarten zu beziehen ist, dann wurden die Akkorde noch alteriert — einzelne ihrer Töne wurden erhöht oder erniedrigt. — Wie kam man dazu? — Die ursprünglichen Konsonanzen der Dreiklänge wurden durch den Ausbau zu Septakkorden, zu Dissonanzen; vor allem war es die Stimmführung, die zu solchen Akkorden führte. Das Ohr wurde allmählich vertraut mit diesen Zusammenklängen, die zuerst nur vorsichtig im Durchgang oder mit Vorbereitung vorkamen, und so wurden schließlich alle diese Akkorde als natürlich und angenehm empfunden. Es entstanden Akkorde, die vieldeutig waren: so der übermäßige Dreiklang, der bei Wagner eine große Rolle spielt, aber keine so fürchterliche Sache ist, sondern schon in der Molltonart auf der dritten Stufe als leitereigen vorkommt. Auch der übermäßige Quintsextakkord gehört hierher. Man konnte mit diesen vagierenden Akkorden in alle möglichen Regionen kommen. Auch den sogenannten „Tristan-Akkord" hat es schon vor Wagner gegeben — aber nur im Durchgang und nicht in der Bedeutung und Auflösungsart wie bei Wagner. — Dann kamen noch die Quartenakkorde und der Terzenaufbau. Später ging das immer schneller, die neuen Akkorde wurden wieder alteriert, und so kam ein Stadium, wo diese neuen Akkorde fast ausschließlich verwendet wurden. Man bezog sie aber noch auf den Grundton und konnte daher noch in die Tonart einlenken.

Schließlich ist es aber durch Verwendung dieser Akkorde, die dissonanter Natur sind, durch immer weitere Eroberung des Tonbereiches, der Heranziehung der ferner liegenden Obertöne dazu gekommen, daß sich auf lange Strecken überhaupt nichts Konsonierendes ereignete, und zuletzt war die Situation reif dafür, daß das Ohr es nicht mehr unerläßlich empfand, daß man sich auf einen Grundton bezog. — Wann kehrt man denn am liebsten zum Grundton zurück? — Nun, am Schluß! Da kann man sagen: „Das Stück steht in dieser oder jener Tonart.“ — Es gab aber noch eine Zeit, in der man erst im letzten Moment einlenkte und wo es auf langen Strecken nicht deutlich war, welche Tonart gemeint sei. „Schwebende Tonalität“. Erst am Schluß ergab es sich: das Ganze, was sich ereignet hat, ist so und so zu verstehen. — Aber diese Ereignisse häuften sich immer mehr und mehr, und eines Tages konnte man auf die Beziehung auf den Grundton verzichten. Denn es war nichts Konsonierendes mehr da. Das Ohr war auch mit dem schwebenden Zustand zufrieden; es fehlte einem nichts, wenn man schwebend geendet hatte; man empfand dennoch den Ablauf des ganzen Komplexes als ausreichend und befriedigend.

Ist das einigermaßen klar? — Dieser Moment — ich kann da aus eigenem Erleben sprechen — dieser Moment, an dem wir alle teilgehabt haben, ereignete sich etwa im Jahre 1908. — Jetzt haben wir 1933 — also 25 Jahre ist es her — gerade ein Jubiläum!

Es ist Arnold Schönberg, der das verbrochen hat. — Ich will nun weiter erzählen, ganz aus meinem Leben. — Man darf sich das natürlich nicht vorstellen als einen plötzlichen Moment. Die Zusammenhänge mit dem Früheren waren von größter Intensität. — Es ist übrigens auch die Deutung möglich, daß auch bei uns doch ein Grundton vorhanden ist — ich glaube bestimmt daran — aber dieser interessierte uns im Ablauf des Ganzen nicht mehr. Es ist also Musik entstanden, die nichts vorgezeichnet hatte, um populär zu sprechen: die gewissermaßen in C-Dur nicht nur die weißen, sondern auch die schwarzen Tasten benützte. — Es zeigte sich aber bald, daß da geheime Gesetze in Zusammenhang mit den zwölf Tönen bestanden: es war für das Ohr sehr befriedigend, wenn der Melodieablauf sich von Halbton zu Halbton vollzog bzw. in solchen Intervallen, die mit dem chromatischen Fortschreiten in Verbindung standen. Auf Grund der Chromatik also, und nicht jener Tonreihe, die sich aus den sieben Stufen ergab. Die chromatische Skala wurde immer dominierender: die zwölf Töne statt der sieben.

Und nun kam ein schwer erklärbares Stadium: Im Zusammenhang mit der Herrschaft der chromatischen Skala, der chromatischen Fortschreitungen, ergab sich ein besonders heikliger Punkt: Was geschieht, wenn ich eine Tonart kräftig zum Ausdruck bringen will? — Der Grundton muß ein gewisses Übergewicht erlangen, so daß die Hörer es merken — sonst wäre es an sich nicht befriedigend. — Gerade bei Beethoven finden wir das besonders stark ausgeprägt, daß die Tonika immer wieder festgehalten wird, besonders gegen den Schluß zu, um sie recht herauszustreichen. Er kann sich gar nicht genug tun, um diesen Schluß recht eindringlich zu gestalten. — Nun wurde aber das gerade Gegenteil zum Bedürfnis: Da es keinen Grundton mehr gab, oder besser: da die Ereignisse so weit gediehen waren, daß der Grundton nicht mehr nötig war, so ergab sich das Bedürfnis, *zu verhindern*, daß ein Ton das Übergewicht bekomme, zu verhindern, daß durch Wiederholung einer der Töne „sich was herausnehmen“ könnte.

Ohne Töne-Wiederholung kann es natürlich keine Komposition geben, das

Werk müßte zu Ende sein, wenn alle zwölf Töne dagewesen sind. Wie soll man sich das vorstellen? Wie soll nicht wiederholt werden? Wann stört die Wiederholung nicht? — Ich sagte, die Komposition müßte zu Ende sein, wenn alle zwölf Töne da waren. Im Ablauf der zwölf Töne also sollte sich keiner wiederholen! Aber es können ja hundert Abläufe zugleich stattfinden! — Das kann sein, nur wo einer begonnen hat, dort sollen die anderen Töne der Reihe ihm noch nachkommen, ohne daß sich einer wiederholt. — Das hat man gespürt. — Es kann auch ein zwölfstimmiger Akkord kommen — solche hat man schon geschrieben —, dann konnte man wieder anfangen und es konnte auch dann noch gleichzeitig etwas anderes erklingen, das auch wieder dem gleichen Gesetze gehorchen mußte.
Damit ist das Gesetz eigentlich schon ausgesprochen: „Ablauf der zwölf Töne" — weiter nichts! — Da haben nun so merkwürdige Dinge dabei mitgespielt, die sind aber nicht theoretisch entstanden, sondern gehörsmäßig. So erwies es sich als störend, wenn in einem Thema ein Ton wiederholt wurde. — Und jetzt kommt der springende Punkt — passen Sie gut auf! —, jetzt werden Sie verstehen, wie der Stil entstanden ist. Nicht nur dadurch, daß wir die Tonalität verloren haben, sondern ganz sachlich vom Standpunkt des Zusammenhanges.
Was ist geschehen? — Ein Ablauf der zwölf Töne. Nicht indem man das dem Schicksal überlassen hat, sondern man hat eine bestimmte Reihenform gesucht, die bindend für den Ablauf der ganzen Komposition sein sollte. Man hat die zwölf Töne in eine spezielle Reihenform gebracht, an deren Ablauf die Komposition gebunden war. Alle zwölf Töne in einer bestimmten Folge — so müssen sie sich immer wieder abwickeln! Eine bestimmte Folge von zwölf Tönen ist immer wieder da.
Und nun machen wir einen Sprung zurück zu den Meistern der zweiten niederländischen Schule! Da hat einer eine Melodie gebildet aus den sieben Tönen, aber immer bezogen auf diese Reihe. Das selbe geschieht in der von Schönberg erfundenen Komposition mit zwölf aufeinander bezogenen Tönen. Gar nichts anderes! — Warum hat uns aber das interessiert, das immer „Dasselbe" gesungen wird? — Man hat gesucht, Zusammenhang zu schaffen, Beziehungen zwischen den Dingen, und es war doch der größte Zusammenhang, wenn es immer Dasselbe ist, was die alle singen, der denkbar größte Zusammenhang!
Fassen wir zusammen: Ich sprach von der Ausbildung der Melodie, der Begleitung. Man suchte Zusammenhänge in der Begleitung zu schaffen, thematisch zu arbeiten, alles aus Einem abzuleiten und so den engsten — größten — Zusammenhang herzustellen. Und nun ist alles aus dieser gewählten Folge von zwölf Tönen abgeleitet, und auf dieser Basis spielt sich wie früher das Thematische ab. *Aber* — der große Vorteil ist der, daß ich das Thematische viel freier nehmen kann. Denn mir ist der Zusammenhang vollkommen gewährleistet durch die zugrundeliegende Reihe. Es ist immer Dasselbe, und nur die Erscheinungsformen sind immer andere. — Das hat etwas Nahverwandtes mit der Auffassung Goethes von den Gesetzmäßigkeiten und

dem Sinn, der in allem Naturgeschehen liegt und sich darin aufspüren läßt. In der „Metamorphose der Pflanze" findet sich der Gedanke ganz klar, daß alles ganz ähnlich sein muß wie in der Natur, weil wir auch hier die Natur dies in der besonderen Form des Menschen aussprechen sehen. So meint es Goethe.
Und was verwirklicht sich in dieser Anschauung? Daß alles dasselbe ist: Wurzel, Stengel, Blüte. Und auch bei den Wirbeln des menschlichen Körpers ist es nach der Anschauung Goethes ähnlich. Der Mensch hat eine Reihe von Rückenwirbeln, und alle sind verschieden von einander und doch wieder gleich. Urwirbel — Urpflanze. — Und es ist Goethes Idee, daß man da Pflanzen erfinden könnte bis in die Unendlichkeit. — Und das ist auch der Sinn unseres Kompositionsstils. Und man braucht auch keine Angst zu haben, daß die Dinge nicht genügend mannigfaltig erscheinen werden, weil der Ablauf der Reihe immer gegeben ist.
Nun fragt man mich: Wie komme ich denn zu dieser Reihe? — Nicht willkürlich, sondern nach bestimmten geheimen Gesetzen. (Eine solche Bindung ist sehr streng, so daß man sie sich sehr genau und ernst überlegen muß, wie man in die Ehe tritt — die Wahl ist schwer!) — Wie kommt das zustande? — Es wäre denkbar: auf rein konstruktivem Wege, etwa so, daß möglichst viele Intervalle gegeben sind. Aber um aus eigener Erfahrung zu sprechen: Ich selbst bin meist dazu gekommen im Zusammenhange mit dem, was man beim produktiven Menschen den Einfall nennt. Es ist das Gesetz, das wir aufstellen. — Früher hat man, wenn man in C-Dur schrieb, sich auch daran „gebunden" gefühlt, sonst war eben alles verhatscht; man war verpflichtet, zum Grundton zurückzukehren, man war gebunden an die Wesenheit dieser Tonleiter. Wir erfinden nun auf Grund einer Leiter, die nicht sieben Töne hat, sondern zwölf, und zwar in einer bestimmten Folge. Das ist die „Komposition mit zwölf aufeinander bezogenen Tönen".
Das hat natürlich alles seine Vorstadien gehabt; es ist nicht alles so schnell dagewesen. So hat Schönberg in einem noch unvollendeten Werke, das niemand kennt, in der „Jakobsleiter", sich nicht an zwölf, sondern an sieben Töne gebunden. In der „Serenade" (op. 24) besteht auch nur eine teilweise Bindung. Schließlich aber ist von Schönberg ganz klar das Gesetz ausgesprochen worden — etwa 1921. Seit dieser Zeit praktizierte er selbst, mit einer kleinen Ausnahme, diese Kompositionstechnik, und wir Jüngeren sind ihm gefolgt.

Nun ist die Analogie noch auszubauen, von den Niederländern ausgehend: Aus der Grundgestalt, dem Ablauf der zwölf Töne, können Abarten gebildet werden: Wir verwenden die zwölf Töne auch von rückwärts nach vorne — das ist der Krebs; dann in der Umkehrung — so wie wenn wir in den Spiegel schauen; und dann noch im Krebs der Umkehrung. Das sind vier Formen. — Was kann man aber mit diesen noch machen? — Auf allen Stufen können wir sie errichten. Also 12×4 gleich 48 Formen. Auswahl genug! — Wir haben bisher mit diesen 48 Formen das Auslangen gefunden, mit diesen

48 Formen, die immer dasselbe sind. Wie man früher in C-Dur schrieb, so schreiben wir in diesen 48 Formen.
Wir sind zu Ende! Immer weitere Erfassung des Tonbereiches und klarere Darstellung der Gedanken! Durch die Jahrhunderte her habe ich es verfolgt, und ich habe das ganz natürliche Ergebnis der Zeiten hier aufgezeigt: d. h. die Komposition mit zwölf aufeinander bezogenen Tönen. — Und wenn wir das allgemein noch mit einem Blick betrachten: Wenn sich hier ein Gesetzmäßiges vollzogen hat — der Ton als gesetzmäßige Natur in bezug auf den Sinn des Ohres! — was sehen wir hier in diesem Aufbau am Werke? — Da will ich noch etwas am Schluß zitieren, ein Wort von einem der wunderbarsten Denker unserer Zeit: Theodor Haecker spricht in seinem Buch über Vergil*) von dessen Wort „labor improbus" — in Beziehung auf den Landbau, die Arbeit im Dienste des Höheren, damit „ein ursprünglich Gnadenhaftes noch gnadenhafter werde!".

(10. April 1933)

*) Theodor Haecker: „Vergil, Vater des Abendlandes", Leipzig 1931.

DER WEG ZUR KOMPOSITION IN ZWÖLF TÖNEN

I.

Der Titel, den Sie da gelesen haben, stammt nicht von mir. Der ist von Schönberg, und das war so: Ich sollte heuer in Mondsee über dieses Thema sprechen und habe deshalb mit Schönberg kurz korrespondiert, wie man so einen Vortrag nennen könnte. Er meinte: „Der Weg zur Komposition in zwölf Tönen."

Vor allem müssen wir wissen, was das bedeutet: „Die Komposition in zwölf Tönen." — Haben Sie sich so ein Werk einmal angeschaut? — Ich glaube, daß seit Musik geschrieben wird, alle großen Meister instinktiv dieses Ziel vor Augen gehabt haben. Ihnen möchte ich aber nicht gleich diese Geheimnisse anvertrauen — und es sind wohl Geheimnisse! — Geheimschlüssel. — Es hat ja wahrscheinlich zu jeder Zeit solche Geheimschlüssel gegeben, und man hat unbewußt mehr oder weniger davon verstanden.

Ich möchte mich heute allgemein mit diesen Dingen befassen. Was ist denn eigentlich mit dieser Kompositionsmethode erreicht? Welches Gebiet oder welche Pforten hat dieser Geheimschlüssel geöffnet? — Es handelt sich ganz allgemein um die Schaffung eines Mittels, größtmöglichen Zusammenhang in der Musik auszudrücken. — Damit ist ein Wort ausgesprochen, über das wir uns tagelang unterhalten könnten. Vielleicht ist es doch wichtig, über diese Dinge zu sprechen — ich meine Dinge von so allgemeiner Natur, daß sie von allen verstanden werden, daß auch diejenigen Zuhörer folgen können, die nur gern dasitzen, um zuzuhören. Ich weiß ja nicht, was die Zukunft bringt.

Der Zusammenhang ist wohl das, was, wenn etwas Sinn haben soll, nirgends fehlen kann. Zusammenhang ist ganz allgemein: eine möglichst große Beziehung der Teile untereinander herbeizuführen. So gilt es, in der Musik wie in jeder anderen Äußerung eines Menschen die Beziehungen unter den Teilen im Zusammenhang möglichst klarzumachen, mit einem Wort: zu zeigen, wie eines zum andern kommt.

Und nun von der Musik zu sprechen, so ist das bis zu einem gewissen Grade historisch. — Was ist also diese „Komposition in zwölf Tönen"? — Und was ist ihr vorausgegangen? — Man bezeichnet diese Musik mit dem schrecklichen Wort „atonale Musik". Schönberg macht sich sehr lustig darüber, denn „atonal" bedeutet „ohne Töne"; dies hat aber keinen Sinn. Gemeint ist eine Musik, die nicht in einer bestimmten Tonart steht. — Was ist dabei aufgegeben worden? — Die Tonart ist verschwunden.

Versuchen wir, den Zusammenhang zu finden! – Um den Zusammenhang herzustellen, war bisher die Tonalität eines der wichtigsten Mittel. Sie ist die einzige von den früheren Errungenschaften, die verschwunden ist, alles andere ist geblieben. – Wir versuchen nun, weiter hineinzusehen in diese Geschichte.

Was ist denn die Musik? – Die Musik ist Sprache. Ein Mensch will in dieser Sprache Gedanken ausdrücken; aber nicht Gedanken, die sich in Begriffe umsetzen lassen, sondern *musikalische* Gedanken. – Schönberg hat sämtliche Lexika durchsucht, um die Definition zu finden: Was ist ein Gedanke? – aber er hat sie nicht gefunden. – Was ist ein musikalischer Gedanke?

(gepfiffen) „Kommt ein Vogerl geflogen . . ."

Das ist ein musikalischer Gedanke! – Der Mensch kann eben nicht anders existieren als indem er sich ausdrückt. Die Musik tut es in musikalischen Gedanken. Ich will etwas sagen, und es ist selbstverständlich, daß ich mich bemühe, es so auszudrücken, daß die anderen es verstehen. – Schönberg gebraucht das wunderbare Wort von der „Faßlichkeit" (bei Goethe überall zu lesen!). Die Faßlichkeit ist überhaupt das oberste Gesetz. Es muß ein Zusammenhang da sein. Dazu sind Mittel notwendig. Alle Dinge, die uns aus dem primitiven Leben bekannt sind, müssen auch im Kunstwerk zur Anwendung kommen. – Man hat nach Mitteln gesucht, um einen musikalischen Gedanken in eine möglichst faßliche Gestalt zu bringen. Eines dieser Mittel war durch mehrere Jahrhunderte hindurch die Tonalität, und zwar seit dem 17. Jahrhundert. Seit Bach wird das Dur- vom Moll-Geschlecht unterschieden. Diesem Stadium sind die Kirchentonarten vorangegangen, also gewissermaßen siebenerlei Tonarten, von denen schließlich nur die zwei Tongeschlechter übriggeblieben sind. Aus denen ist etwas Übergeschlechtliches hervorgegangen: unser neues Tonsystem von zwölf Tönen.

Um wieder auf die Tonalität zurückzukommen: sie war ein unerhört formgebendes Mittel, den Zusammenhang herzustellen. – Worin hat dieser Zusammenhang bestanden? – Darin, daß ein Stück in einer solchen Tonart geschrieben war. – Es war die Haupttonart, die gewählt wurde, und es war natürlich, daß der Komponist bestrebt war, diese Tonart ausdrücklich aufzuzeigen. Ein Stück hatte einen Grundton, der eingehalten wurde, von dem man wegging und zu dem man wieder zurückkam. Immer wieder ist er erschienen, und dadurch war er dominierend. Man hatte eine Haupttonart in der Exposition, in der Durchführung, in der Reprise etc. Um diese Haupttonart besonders herauszukristallisieren, gab es die Schlußsätze, in denen die Haupttonart immer wieder erschien. – Ich muß diese Dinge immer wieder herausgreifen, weil es sich um das handelt, was verschwunden ist. Es mußte etwas kommen, was wieder Ordnung in diese Dinge bringt.

Es sind zwei Wege, die unbedingt zur Komposition in zwölf Tönen geführt haben: es war nicht allein der Umstand, daß die Tonalität verschwunden ist und man einen neuen Halt gebraucht hat. Nein! Daneben war noch ein anderes, besonders wichtiges! Was das aber ist, das kann ich vorläufig gar nicht mit einem einzigen Wort sagen. – Die kanonischen, die kontrapunktischen Formen, die thematische Verarbeitung vermögen viele Beziehungen zwischen den Dingen herzustellen, und dort ist zu suchen — wenn wir zurückschauen wollen auf die Vorläufer — was noch überdies in der Komposition in zwölf Tönen steckt.

Das großartigste Beispiel hierfür ist Johann Sebastian Bach, der am Ende seines Lebens die „Kunst der Fuge“ geschrieben hat. Dieses Werk enthält eine solche Fülle von Beziehungen ganz abstrakter Natur; es ist die abstrakteste Musik, die wir kennen. (Wir sind vielleicht alle auf dem Wege, so abstrakt zu schreiben.) Trotzdem die Tonalität hier noch vorhanden ist, sind hier Dinge zu finden, die auf das zugehen, was das Wichtigste in der Komposition in zwölf Tönen ist: nämlich auf den Ersatz der Tonalität.

Was ich Ihnen hier erzähle, das ist ja eigentlich mein Leben. Diese ganze Umwälzung hat damals begonnen, als ich zu komponieren angefangen habe. Ganz aktuell ist die Sache geworden in der Zeit, wo ich Schüler Schönbergs war. Seither ist allerdings bereits ein Vierteljahrhundert vergangen.

Wenn wir historisch feststellen wollen, wieso denn diese Tonalität plötzlich verschwunden ist und wie die ersten Ansätze gekommen sind, bis schließlich Schönberg eines Tages ganz intuitiv gesehen hat, wie in diese Dinge Ordnung hineingebracht werden kann, so war das um das Jahr 1908, als die Klavierstücke op. 11 von Schönberg erschienen. Das waren die ersten „atonalen“ Stücke, das erste Werk Schönbergs in der Komposition in zwölf Tönen erschien 1922. Von 1908 bis 1922 war das Interregnum; 14 Jahre, fast anderthalb Jahrzehnte dauerte dieses Stadium. — Aber schon im Frühjahr 1917 — damals hat Schönberg in der Gloriettegasse gewohnt und ich in der Nähe —, da bin ich eines schönen Vormittages zu ihm hinaufgekommen, um ihm mitzuteilen, daß ich in irgendeiner Zeitung gelesen hatte, wo ein paar Lebensmittel aufzutreiben seien. Ich habe ihn damit eigentlich gestört, und er erklärte mir, er sei „auf dem Wege zu einer ganz neuen Sache“. Mehr hat er mir damals nicht gesagt, und ich zerbrach mir den Kopf: „Um Gottes willen, was kann denn das nur sein?“ (In der Musik zur „Jakobsleiter“ sind die ersten Anfänge dieser Musik zu finden.)

Ich glaube, es wird ganz zweckdienlich sein, über das letzte Stadium der tonalen Musik zu sprechen. — Die erste Bresche finden wir in den Sonatensätzen, wo in die Haupttonart manchmal irgendeine andere Tonart wie ein Keil eingesprengt ist. Dadurch wurde die Haupttonart zeitweise beiseite gedrängt. — Und dann in der Kadenz. — Was ist eine Kadenz? — Das Bestreben, eine Tonart abzugrenzen gegen alles, was sie beeinträchtigen könnte. — Man wollte aber die Kadenzen immer eigenartiger gestalten und das führte schließlich zur Sprengung der Haupttonart. — Zunächst landete man am Ende doch noch immer im Hauptton; aber man ging allmählich so weit, daß man schließlich nicht mehr die Notwendigkeit einsah, wirklich wieder zum Hauptton zurückzukehren. — Zunächst hat man wohl so gedacht: „Da bin ich zu Hause — jetzt geh' ich aus — schau' dahin, dorthin — dabei sind die weitesten Ausflüge möglich — bis ich schließlich wieder zu Hause bin!“ — Dadurch, daß man die Kadenzen immer reicher gestaltete, daß man statt der Akkorde der vierten, fünften und ersten Stufe immer mehr und mehr deren Stellvertreter nahm und diese dann auch noch alterierte, kam es zur Sprengung der Tonalität. Die Stellvertreter wurden immer selbständiger. Es war die Möglichkeit gegeben, da oder dort in eine andere Tonalität hineinzukommen. (Wenn man von den weißen auf die schwarzen Tasten kam, fragte man sich: „Ja, muß ich denn wieder herunter?") Die Stellvertreter wurden so beherrschend, daß das Bedürfnis verschwand, wieder in die Haupttonart zurückzukehren. — In dieses Stadium der Tonalität gehören alle Werke, die Schönberg und auch Berg und ich vor dem Jahre 1908 geschrieben haben.

Wohin man zu gehen hat, und ob man überhaupt noch zurück soll in die durch die traditionelle Harmonik gegebenen Verhältnisse? — solche Betrachtungen haben uns das Gefühl gegeben: „Wir brauchen diese Verhältnisse nicht mehr, unser Ohr ist befriedigt auch ohne Tonalität!" — Die Zeit war einfach reif für das Verschwinden der Tonalität. — Das war natürlich ein heißer Kampf, da waren Hemmungen der fürchterlichsten Art zu überwinden, eine Angst: „Ist denn das möglich?" — Und so kam es, daß allmählich fest und bewußt ein Stück dann nicht mehr in einer bestimmten Tonart geschrieben wurde.

Hier redet einer, der alle diese Dinge erlebt und mitgekämpft hat. Alle diese Ereignisse überstürzten sich, ereigneten sich für uns unbewußt und intuitiv. Und noch nie ist in der Musik ein solcher Widerstand geleistet worden, wie gegen diese Dinge.

Es ist natürlich unsinnig, mit „sozialen" Einwänden zu kommen. — Warum verstehen die Leute das nicht? — Es war von uns ein Vorstoß, der gemacht werden *mußte*, ein Vorstoß, wie er eben noch nie da war. Wir müssen eben mit jedem Werk anderswohin gelangen — jedes Werk ist etwas anderes, etwas Neues. — Schauen Sie Schönberg an! — Max Reger hat gewiß auch Wandlungen mitgemacht, wie ein Mensch sich eben entwickelt vom 15. bis zum 40. Lebensjahr; aber stilistisch waren das keine Veränderungen, bei ihm sind im selben Stil gleich fünfzig solcher Werke entstanden. — Für uns ist es so gar nicht möglich, etwas zu wiederholen. Es ist so aufschlußreich, wie Schönberg sagt: „Wie, wenn ich eine Oper im Stile der Gurrelieder komponiert hätte?"

Wie wollen die Menschen da folgen können? — Es ist selbstverständlich sehr schwer. — Beethoven und Wagner waren auch bedeutende Revolutionäre, sie wurden auch nicht verstanden, denn sie brachten stilistisch ungeheure Veränderungen.

Ich habe versucht, Ihnen dieses Stadium so recht klar zu machen und Sie davon zu überzeugen, daß, so wie die reife Frucht vom Baume fällt, die Musik ganz einfach verzichtet hat auf das formale Prinzip der Tonalität.

(15. Januar 1932)

Wir wollen wiederum betrachten, was dazu geführt hat, die Tonalität zum Verschwinden zu bringen. Es gibt ja noch immer Leute, die auf Grund der Tonalität komponieren, trotzdem seither ein Vierteljahrhundert vergangen ist.

Das Bestreben, der gewählten Haupttonart eines Stückes Gegensätzliches auch im Sinne der Harmonik entgegenzustellen – ich möchte sagen: den Bezirk des Haupttones zu beschränken und dann Keile hineinzutreiben –, hat schließlich gerade dort, wo man diese Gegensätze in ein besonderes Licht setzen wollte, zur Kadenz geführt. Hier war der Punkt, wo auch die Klassiker sich oft recht weit von der Tonart entfernt und Mittel angewendet haben, die für die Tonart verderbenbringend waren, und zwar gerade dort, wo man es besonders darauf angelegt hatte, die Tonart hervortreten zu lassen. Gewisse Akkorde und harmonische Beziehungen haben radikal und radikalisierend gewirkt; z. B. die Mollunterdominante (in C-Dur: f-moll) und aus dieser Beziehung die sechste Stufe der Mollunterdominante (in C-Dur: der Akkord F-As-Des – die neapolitanische Sext – die erniedrigte zweite Stufe von C-Dur).

Schon dieses Beispiel zeigt uns deutlich den Weg, auf dem es dazu kommen konnte, mit zwölf Tönen zu arbeiten. (Sie wissen ja schon, daß der Aufbau des ganzen Systems darauf beruht, daß man die verschiedenen Töne der Skala als Stufen ansieht und die Beziehungen der einzelnen Stufen ausdeuten kann.) – Es gibt eben nicht nur *eine* zweite Stufe, sondern zwei: die eine heißt in C-Dur D und die andere Des. Macht man das auf jeder Stufe, was kommt dabei heraus? – Die chromatische Skala – und die Zwölftonleiter ist fertig.

Ein anderes Mittel der Modulation ist der übermäßige Quintsextakkord (in C-Dur: Fis-As-C-Dis).

Ich kann den Sinn aller dieser Akkorde umdeuten und bin damit in der größten Geschwindigkeit woanders. Es war eigentlich kein Grund mehr vorhanden, wieder in die Grundtonart zurückzukehren, und damit war die Tonalität geliefert.

Ein Beispiel, das Sie im höchsten Grad frappieren wird, ist der Schluß des „Parzenliedes" von Brahms. Es ist erstaunlich, was an Kadenzen darin vorkommt, und wie weit es durch seine ganz merkwürdigen Harmonien schon von der Tonalität entfernt ist!

Johannes Brahms, *Parzenlied*, Schluß des Werkes

So ist das nicht zugegangen, daß einer gefragt hat: „Wie ist das, wenn wir ohne Tonalität auskommen?" – Es war vielmehr reifliche Überlegung und intuitives Finden. Die Klischees sind ganz einfach weggeblieben. Der chromatische Weg, d. h. der Weg, in Halbtönen fortzuschreiten, hat seinen Anfang genommen.

(22. Januar 1932)

III.

Es ist viel interessanter, Brahms als Beispiel heranzuziehen als z. B. Wagner. Bei Wagner kommt der Harmonik weiteste Bedeutung zu; aber in Hinsicht der harmonischen Beziehungen ist Brahms eigentlich reicher.
Es war also ein Zustand „schwebender Tonalität" geschaffen. Schließlich war für das Ohr kein Bedürfnis mehr vorhanden, einzulenken und den Grundton tatsächlich einzuführen. Es kam zur Gleichberechtigung aller zwölf Töne.
Die Ganztonskala: Es ist ein Unsinn, zu glauben, die habe ihren Ursprung in der orientalischen oder fernöstlichen Musik! Ihr Ursprung ist einzig und allein das Ausdrucksbedürfnis. („Hojotohoh!" – in der „Walküre" Wagners) – Die Ganztonskala besteht nur aus sechs Tönen. – Wieder etwas

die alte Tonalität Zerfressendes! – In sechsstimmigen Akkorden wird sie zum ersten Mal von Debussy in „Pelleas und Melisande“ und im gleichnamigen Orchesterwerk von Schönberg angewandt. – Solche Akkorde konnten ohne Vorbereitung und ohne Auflösung verwendet werden. Ihr Ursprung ist melodischer Art.
Schönberg sagt: „Jeder Zusammenhang ist möglich!“ – Dieses Umkreisen – das die Dinge nie beim richtigen Namen nennen – lauter Stellvertreter für die Grundakkorde einsetzen – alles, was gemeint ist, lieber offenlassen – das ist der Charakter der Komposition in zwölf Tönen!
Als Beispiel wird Schönbergs „Begleitungsmusik zu einer Lichtspielszene“ (op. 34, entstanden 1930) vorgeführt.
Ein Magdeburger Verlag hatte an mehrere namhafte Komponisten die Aufforderung ergehen lassen, eine Begleitmusik zu einer Lichtspielszene zu schreiben. Die Aufforderung erging z. B. an Richard Strauß, Franz Schreker und auch an Schönberg. Der Inhalt ist ungefähr folgender: Drohende Gefahr, Angst und Katastrophe. – In diesem Sinne sind alle musikalischen Geschehnisse darin abgewickelt.

(29. Januar 1932)

IV.

Wir wollen uns heute der Betrachtung des Zustandes zuwenden, in welchem die Tonalität in den letzten Zügen lag! Ich will Ihnen den Beweis erbringen, daß sie wirklich gestorben ist. Wenn dieser Beweis erbracht ist, dann ist es zwecklos, sich mit einer toten Sache zu beschäftigen.
Wir haben das letzte Mal die Akkorde, die sich auf der Ganztonskala aufbauen, besprochen und sind dann auf einen sechsstimmigen Akkord im chromatischen Durchgang gekommen (F-A-Cis-G-H-Dis oder Es-G-H-A-Des-F). Die bloße Addition eines solchen Akkords mit einem analog gebauten ergibt schon einen Zwölftonakkord.
Mit allen diesen Dinger nähern wir uns der Katastrophe: 1906 – Schönbergs Kammersymphonie (Quartenakkorde!) – 1908 – Musik von Schönberg, die in keiner Tonart mehr steht. – Die Beziehung zu einem Grundton wurde immer lockerer. Dadurch ist der Zustand eingetreten, daß man den Grundton schließlich streichen konnte. Die Möglichkeit einer raschen Modulation hat mit dieser Entwicklung nichts zu tun, sondern gerade dadurch, daß dies alles geschehen ist, um den Grundton zu sichern, die Tonart auszubauen – gerade dadurch, daß man für die Erhaltung der Tonart gesorgt hat, wurde ihr das Genick gebrochen!
Ich gehe ins Vorzimmer, um dort einen Nagel einzuschlagen. – Während ich dorthin gehe, kommt mir der Gedanke, lieber auszugehen, – Ich lasse mich treiben, steige in die Elektrische, komme zur Eisenbahn, fahre fort und komme schließlich – nach Amerika! – Das ist die Modulation!

Wir, Berg und ich, haben das alles am eigenen Leibe erlebt. – Ich sage dies nicht, damit es in meine Biographie komme, sondern weil ich zeigen will, daß es eine in heißen Kämpfen errungene Entwicklung ist, die entschieden notwendig war.

1906 ist Schönberg vom Landaufenthalt mit der Kammersymphonie gekommen. – Der Eindruck war kolossal. – Ich war damals seit drei Jahren sein Schüler und hatte sofort das Bestreben: „So was mußt du auch machen!" – Unter dem Einfluß des Werkes schrieb ich schon am nächsten Tag einen Sonatensatz. – In diesem Satz war ich an die äußerste Grenze der Tonalität gekommen.

Schönberg war damals ungeheuer fruchtbar. Jedesmal, wenn wir Schüler zu ihm gekommen sind, war schon wieder etwas anderes da. – Er hatte es als Lehrer furchtbar schwer: das rein Theoretische hatte aufgehört. Auf rein intuitivem Wege hatte er, unter furchtbaren Kämpfen, mit seinem ungeheuren Formgefühl gespürt, was nicht stimmt.

Wir haben beide gefühlt, daß ich mit jenem Sonatensatz den Einbruch zu einer Materie durchgeführt hatte, für die die Situation noch nicht gegeben war. – Ich habe den Satz zu Ende geschrieben – er war noch auf eine Tonart bezogen, aber auf sehr merkwürdige Art. Dann sollte ich einen Variationensatz schreiben, habe aber ein Variationsthema gefunden, das eigentlich schon in keiner Tonart war. – Schönberg rief Zemlinsky zu Hilfe, der die Sache in negativem Sinne erledigte.

Sie haben nun einen Einblick in das Ringen um diese Sache. Es war nicht aufzuhalten. – Ich habe zwar dann wieder ein Quartett geschrieben, das in C-Dur war – aber nur vorübergehend. Die Tonart, der gewählte Grundton, ist sozusagen unsichtbar – „schwebende Tonalität"! – Alles hatte aber noch Beziehung zu einer Tonart, vor allem am Schluß, um den Grundton herzustellen. Der Grundton selbst war aber nicht da – er war im Raume schwebend, unsichtbar, nicht mehr notwendig. Es hätte umgekehrt bereits gestört, wenn man sich wirklich auf den Grundton bezogen hätte.

Nun schauen Sie, was weiter geschehen ist! – Schönbergs Lieder op. 14: „Ich darf nicht dankend an dir niedersinken" (letzter Takt in h-moll – das Lied hat zwei Kreuze vorgezeichnet!) – „In diesen Wintertagen" (C-Dur). – Sie sehen, es ist ganz klar: überall finden wir den Zusammenhang mit dem Früheren. Wir finden auch hier noch eine Tonart – aber keinen Schluß. Schließlich sagte man sich: Wenn es überhaupt noch notwendig sein sollte, am Schluß die Beziehung zu einem Grundton herzustellen, so ist es kaum noch notwendig, dadurch noch zu betonen: Hiermit ist Schluß! – daß das Musikstück zu Ende ist, merkt man ja ohnedies.

Es tut sich also gar nichts Neues auf: es hängt alles zusammen; man weiß nicht, wo das eine aufhört und wo das andere anfängt.

Betrachten wir nun Schönbergs George-Lieder op. 15! – Nr. II und V: Es wird nicht mehr zum Grundton zurückgekehrt, den Schluß fühlt ohnedies jeder. – Und Nr. VII (Begleitung nur in einer Hand): Wie Schönberg am Schluß auf das zurückkommt, was am Anfang geschehen ist!

Arnold Schönberg, *George-Lieder op. 15, Nr. VII*

Es sind nur andere Mittel. Das Lied kehrt zu seinem Anfang zurück. Für das feinere Formgefühl war es aus, und eine Wiederholung wäre eine Trivialität für das feinere Empfinden.

(4. Februar 1932)

V.

Es ist klar, daß mit den George-Liedern op. 15 eigentlich diese Periode der Musik eingeleitet wurde. – Sie erinnern sich noch an das erste Lied aus Schönbergs op. 14 („Ich darf nicht dankend nahen . . .“), dem zwei Kreuze vorgezeichnet sind und das noch in h-moll schließt. – Auch in Nr. II der George-Lieder wäre es, namentlich gegen den Schluß zu, möglich, eine Tonart festzustellen; es wäre denkbar, das als G-Dur aufzufassen und den G-Dur-Akkord noch am Schluß zu bringen.

Arnold Schönberg, *George-Lieder op. 15, Nr. II*

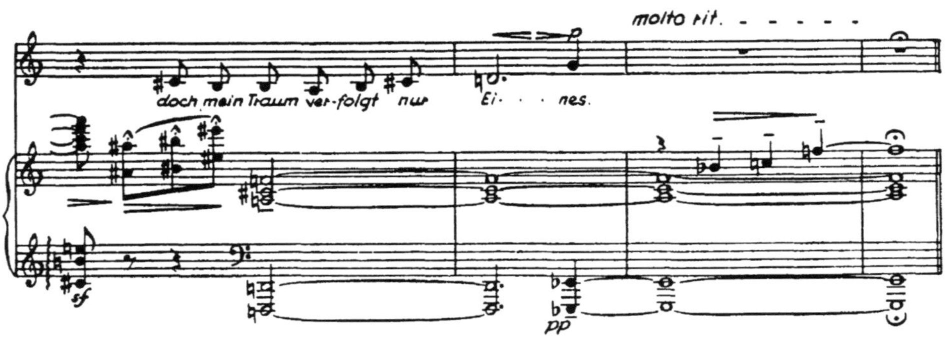

Warum ist es dort noch so und hier nicht mehr? — Wie wollen wir das verstehen? — Mit dieser Frage dringen wir eigentlich in das innerste Mysterium der Zwölftonmusik ein.

Ich möchte diese Frage nicht gleich beantworten, sondern Ihnen noch weitere Beispiele zeigen, um auch an ihnen wieder darzulegen, wie allmählich sich die Wendung vollzogen hat, und wie eigentlich die Grenze gar nicht zu erfassen ist, wo noch das Alte war und wo schon das Neue anfängt. — Verstehen Sie recht: Diese Bezugnahme auf einen Grundton soll den Beweis liefern, wie sehr alle diese Veränderungen immer noch innerhalb des harmonischen Geschehens vor sich gingen. Es ist kaum mehr ein konsonanter Zusammenklang vorhanden. — Trotzdem es so weit gediehen war, finden wir aber immer das so wichtige Moment, das durch Jahrhunderte die Musik beherrscht hat: dieses Ausnützen der Beziehung zu einer Tonart.

Schönbergs op. 11: drei Klavierstücke (geschrieben ungefähr im Jahre 1908):

Nr. 1: Der Schluß ist Es — es schließt in keiner Tonart. Der letzte Baßton ist das Fundament. Wie kommt das Stück dazu, Es als einen Grundton zu haben? — Schauen wir uns einmal den Anfang an! — Bis Takt 13 kommen alle Töne der chromatischen Skala vor mit Ausnahme des Es!

Nr. 2: Ich stelle die Frage wie das erste Mal: Wie kommt Schönberg dazu, mit dem Baßton Es zu schließen? — Was hat alles, was da vorgeht, mit Es zu tun? — Man muß von allen Seiten der Sache beizukommen suchen, und es ist ganz gut die folgende Erklärung möglich: D-F-D am Anfang — das könnte d-moll sein (es könnte auch B der Grundton sein — das B ist aber nie da). Dann kommt in Takt 16 ein zweiter Gedanke, der steht zwar nicht in Es-Dur, nähert sich aber dieser Tonart; das B im Baß (B-Dur-Dreiklang!) ist tatsächlich da und bleibt drei Takte liegen. — Der ganze Verlauf des Stükkes zeigt ganz deutlich, wie der ganzen Anlage nach sich alles auf den Grundton Es bezieht; dieses Es wird aber nicht als eine Tonika eingeführt.

Was beweist uns denn das wieder? — Das tonale Gefühl wird in einem lebendig. Es war immer wieder noch dieser Bezug da. Es ist nicht leicht, über all das zu sprechen, was wir da durchgemacht haben! — Dort sehen wir noch die Tonart angegeben, hier sehen wir es nicht mehr.

Es haben sich in dieser musikalischen Materie neue Gesetze geltend gemacht, die es ausgeschlossen haben, ein Stück als in der oder jener Tonart stehend zu bezeichnen. Es war so vieldeutig. Es haben sich Dinge geltend gemacht, die diese „Tonart“ einfach unmöglich machten. – Wir haben gespürt, daß die öftere Wiederholung eines Tones, entweder unmittelbar hintereinander oder im Ablauf der ganzen Geschehnisse, sich gleichsam „gerächt“ hat, daß sich dieser Ton „durchsetzte“. Es mußte ihm Genugtuung gegeben werden. – Das war hier noch möglich; aber es hat sich gezeigt, daß es zum Beispiel innerhalb eines gewissen Ablaufs der zwölf Töne störend war, wenn ein Ton sich öfters wiederholte. – Das Fortschreiten der einzelnen Stimmen im polyphonen Satz geschah im Sinne der Chromatik und nicht mehr im Sinne der Dur- und Molltonarten. (Schönberg sagte: „Das Wichtigste beim Komponieren ist der Radiergummi!“ – Es gilt immer nachzuprüfen: Sind diese Akkordverbindungen die richtigen? – Kommt das heraus, was ich meine? – Entsteht hier die richtige Form?)

Was ist da geschehen? – Ich kann nur aus meiner eigenen Erfahrung etwas erzählen: Ungefähr 1911 habe ich die „Bagatellen für Streichquartett“ (op. 9) geschrieben, lauter kurze Stücke, die zwei Minuten dauern; vielleicht das Kürzeste, das es in der Musik bisher gegeben hat. Ich habe dabei das Gefühl gehabt: Wenn die zwölf Töne abgelaufen sind, ist das Stück zu Ende. Viel später bin ich daraufgekommen, daß das alles im Zuge der notwendigen Entwicklung war. Ich habe in meinem Skizzenbuch die chromatische Skala aufgeschrieben und in ihr einzelne Töne abgestrichen. – Warum? – Weil ich mich überzeugt hatte: der Ton war schon da. – Es klingt grotesk, unbegreiflich, und es war unerhört schwer. – Das Gehör hat absolut richtig entschieden, daß der Mensch, der die chromatische Skala aufgeschrieben und in ihr einzelne Töne abgestrichen hat, *kein Narr war.* (Auch Josef Matthias Hauer hat diese Dinge auf eigene Weise erlebt und gefunden.) – Mit einem Wort: es bildete sich eine Gesetzmäßigkeit heraus: Bevor nicht alle zwölf Töne drangekommen sind, darf keiner von ihnen wiederkommen. Das Wichtigste ist, daß das Stück – der Gedanke – das Thema – durch die einmalige Abwicklung der zwölf Töne einen Einschnitt bekommen hat.

Mein Goethe-Lied „Gleich und Gleich“ (Vier Lieder op. 12, Nr. 4, komponiert 1917) fängt so an: Gis-A-Dis-G, dann Akkord E-C-B-D, dann Fis-H-F-Cis. Das sind zwölf Töne – keiner ist wiederholt. – Das Gesetz war uns damals noch nicht bewußt, aber es war längst gefühlt. – Eines Tages hat Schönberg auf intuitivem Wege das Gesetz gefunden, das der Zwölftonkomposition zugrunde liegt. Notgedrungen mußte sich aus diesem Gesetz auch entwickeln, daß man dem Ablauf der zwölf Töne *eine bestimmte Reihenfolge* gab. – Stellen Sie sich vor: zwölf Stimmen, sechzig Stimmen, und jede dieser Stimmen hat die Reihe dieser zwölf Töne begonnen! (Nicht die Tonwiederholungen sind verboten, sondern innerhalb der von mir aufgestellten Reihenfolge der zwölf Töne darf sich keiner wiederholen!)

Wir sind heute schon am Ende dieses Weges, d. h. am Ziel angelangt: Die zwölf Töne haben ihre Herrschaft angetreten und die praktische Notwendigkeit dieses Gesetzes ist uns heute vollkommen klar. Die Entwicklung kann von uns lückenlos überblickt werden. (12. Februar 1932)

VI.

Bevor man noch um das Gesetz gewußt hat, hat man es befolgt. – Daraus geht hervor, daß es wirklich ganz natürlich gewachsen ist. – Es gibt keinen Grundton mehr. Alle zwölf Töne haben das gleiche Recht. Wenn einer von ihnen vor Ablauf der elf anderen wiederholt würde, so würde er ein gewisses Vorrecht bekommen. Die zwölf Töne in einer ganz bestimmten Reihenfolge bilden die Grundlage für die ganze Komposition. Die Komposition in zwölf Tönen ist kein „Tonalitäts-Ersatz", sondern sie führt viel weiter.
Die Meister der Musik waren immer bestrebt, den Zusammenhang möglichst klar auszudrücken. *Ein* Mittel dazu war die Tonalität. Ein anderes war durch die Mehrstimmigkeit gegeben. – Eines der ersten erhaltenen mehrstimmigen Stücke war ein Kanon – ein englischer Sommerkanon aus dem 13. Jahrhundert. – Was ist ein Kanon? – Ein Musikstück, in welchem mehrere Stimmen dasselbe singen, nur zu einer anderen Zeit; manchmal auch in einer anderen Reihenfolge des Ablaufs (Krebskanon, Spiegelkanon). – Die Krone der polyphonen Musik war die Fuge, die gegründet war auf das Fugenthema (Beantwortung, Engführung etc.) – Warum denn das wieder? – Es war ja doch wiederum dasselbe und doch anders! – Mit der homophonen Musik ist der thematische Zusammenhang gekommen; aber eigentlich ist die Fuge ja auch schon thematisch. – Jetzt hat sich etwas sehr Merkwürdiges herausgestellt: Bald versuchte man die Begleitung mit der Hauptstimme in irgendeinen thematischen Zusammenhang zu bringen. Wir sehen einen absoluten Zug aus der homophonen Musik zurück zur polyphonen, ein Streben, den Zusammenhang zu vertiefen und deutlicher zu machen.
Beispiel: Beethovens „Sechs leichte Variationen über ein Schweizer Lied". – Thema C-F-G-A-F-C-G-F, dann Krebs! – Sie werden das nicht wahrnehmen, wenn das einer spielt; und es ist vielleicht gar nicht wichtig, aber es ist *Zusammenhang*.
Ausbildung des Zusammenhanges bei Brahms, Mahler, Schönberg. – Das erste Streichquartett Schönbergs (d-moll) – die Begleitfigur ist thematisch! Dieses Streben nach Zusammenhang, nach Beziehungen, führt von selbst zu einer Form, die die Klassiker häufig gepflegt haben und die bei Beethoven eigentlich überwiegend geworden ist: zur Variationenform. – Ein Thema ist gegeben. Es wird variiert. – In diesem Sinne ist die Variationenform eine Vorläuferin der Komposition in zwölf Tönen. – Beispiel: Beethovens Neunte Symphonie, letzter Satz: Thema einstimmig; alles weitere ist auf diesen Gedanken gestellt, er ist die Urform. Unerhörtes geschieht, und es ist doch immer wieder dasselbe!
Jetzt sehen Sie schon, wohin ich da hinaus will. – Goethes Urpflanze: Die Wurzel ist eigentlich nichts anderes als der Stengel, der Stengel nichts anderes als das Blatt, das Blatt wiederum nichts anderes als die Blüte: Variationen desselben Gedankens.

(19. Februar 1932)

VII.

Zuletzt hat uns – im Anschluß an Goethes „Urpflanze" – der „andere Weg" beschäftigt. Dasselbe Gesetz hat für alles Lebende Geltung: „Variationen über ein Thema" – das ist die Urform, die allem zugrunde liegt. Etwas, was scheinbar etwas ganz anderes ist, ist eigentlich dasselbe. Der weitestgehende Zusammenhang ergibt sich daraus.

Dieses Bestreben, den Zusammenhang zu schaffen, bestand auch bei allen Meistern der Vergangenheit. – Ich erinnere an die das letzte Mal erwähnte Kanonform: Alle singen dasselbe! – Wenn ich mehrmals wiederhole: „Mach die Tür zu!" – oder wie Schönberg in bezug auf einen fragwürdigen Komponisten sagte: „Ich bin ein Esel!" – dann ist ein solcher Zusammenhang auch schon hergestellt. – Eine Aschenschale, von allen Seiten angesehen, ist immer das gleiche – und doch etwas anderes. – Ein Gedanke soll also auf die mannigfaltigste Art dargestellt werden.

Eine solche Art ist die rückläufige Bewegung: *Krebs*, – eine andere die Spiegelung: *Umkehrung*. – Durch die Ausbildung der Tonalität wurden diese alten Darstellungsarten zurückgedrängt, aber in der „thematischen Arbeit" setzten sie sich auch in der klassischen Zeit irgendwie durch. Auf diesem Wege kam es zu einer immer größeren Verfeinerung des thematischen Gewebes.

Wieso hat sich ein solch weitgehender Zusammenhang in der Zwölftonmusik besonders verwirklicht? – Dadurch, daß innerhalb des Ablaufs der der Komposition zugrunde liegenden Reihe kein Ton wiederholt werden darf, bevor alle anderen drangekommen sind. – Dieses Gesetz hat sich allmählich von selbst ausgebildet, aber dies wäre nicht möglich gewesen ohne die Benützung *beider* Wege, die wir beschrieben haben. – Und hier lag die Erfüllung des Strebens nach weitestgehendem Zusammenhang. – Dabei wird im übrigen komponiert wie zuvor – aber auf Grund der Reihe; auf Grund dieser feststehenden Reihe wird zu erfinden sein. (Auch da kann ein Dreck herauskommen – wie beim tonalen Komponieren. Dur und Moll waren auch nicht schuld!)

Wenn das ungeschulte Ohr den Ablauf der Reihe nicht immer verfolgen kann, so schadet das nichts – in der Tonalität wurde der Zusammenhang auch meistens nur unbewußt gefühlt. – Der Ablauf der Reihe kann sich mehrmals wiederholen, ganz gleichartig sogar, wie im Sonett der „Serenade" von Schönberg. Irgend etwas wird auch in der naivsten Seele hängenbleiben. – Es wird sich so eine Multiplikation ergeben aller Dinge, die auf dem zweiten Wege angestrebt wurden – verbunden mit dem Streben nach thematischer Arbeit.

Alle Werke, die seit dem Verschwinden der Tonalität bis zur Aufstellung des neuen Zwölftongesetzes geschaffen wurden, waren kurz, auffallend kurz. – Was damals Längeres geschrieben wurde, hängt mit einem tragenden Text zusammen (Schönberg „Erwartung" und „Die glückliche Hand", Berg „Wozzeck"), also eigentlich mit etwas Außermusikalischem. – Mit der Aufgabe der Tonalität war das wichtigste Mittel zum Aufbau längerer Stücke verlorengegangen. Denn zur Herbeiführung formaler Geschlossenheit war die Tonalität höchst wichtig. Als ob das Licht erloschen wäre! — so schien es. (Wenigstens kommt es uns heute so vor.) Damals war alles in unsicherem, dunklem Flusse — sehr an- und aufregend, so daß die Zeit fehlte, den Verlust zu merken. — Erst als Schönberg das Gesetz aussprach, wurden größere Formen wieder möglich.

Wie entsteht die Reihe? — Sie ist nicht zufällig oder willkürlich, sondern nach bestimmten Überlegungen angeordnet. — Es gibt hier gewisse formale Überlegungen, zum Beispiel werden möglichst viele verschiedene Intervallschritte angestrebt oder gewisse Korrespondenzen innerhalb der Reihe, Symmetrie, Analogie, Gruppierungen (dreimal vier oder viermal drei Töne zum Beispiel). Unsere — Schönbergs, Bergs und meine — Reihen sind meist dadurch entstanden, daß ein Einfall in Verbindung mit dem intuitiv vorgestellten ganzen Werk gekommen ist, der dann sorgfältiger Überlegung unterzogen wurde — ganz wie man es an der Entstehung der Themen bei Beethoven in den Skizzenbüchern verfolgen kann. Wenn man will: Inspiration.

Die Bindung ist streng, oft lästig — aber es ist die *Erlösung!* — Wir haben nichts dafür gekonnt für die Auflösung der Tonalität — und wir haben das neue Gesetz nicht selbst geschaffen: es hat sich uns übermächtig aufgedrängt. Der Zwang, die Bindung ist so gewaltig, daß man es sich sehr überlegen muß, bevor man sie endgültig für lange Zeit eingeht — fast, als ob man sich zum Heiraten entschließt. — Ein schwerer Moment! — Das Vertrauen zum Einfall! Etwas anderes gibt es nicht!

Die Reihe ist nun da. — Sofort setzt die Umbildung, Entwicklung ein. — Wie wurde nun das System ausgebaut? — Die kombinierende Phantasie fand die folgenden Formen: Krebs, Umkehrung, Umkehrung des Krebses. — Also vier Formen. Andere gibt es nicht. Trotz aller Bemühungen der Theoretiker.

Jede dieser vier Formen kann von jeder der zwölf Stufen aus aufgebaut werden. Unter Berücksichtigung dieser zwölf Transpositionen kann demnach jede Reihe in 48 verschiedenen Erscheinungen auftreten.

Gesichtspunkte der Symmetrie, Regelmäßigkeit treten jetzt gegenüber der früheren Hervorhebung der Hauptintervalle — Dominante, Unterdominante, Mediante etc. — in den Vordergrund. Daher ist jetzt die *Mitte* der Oktav — die verminderte Quint — von größter Bedeutung. — Im übrigen wird gearbeitet wie bisher. Die Reihe in der ursprünglichen Form und Tonhöhe gewinnt eine Stellung analog der „Haupttonart" der früheren Musik; die „Reprise" wird naturgemäß zu ihr zurückkehren. Wir schließen „im gleichen Ton"! — Ganz bewußt wird diese Analogie zu früheren Gestaltungen gepflegt, und so wird es wieder möglich, zu größeren Formen überzugehen.

(26. Februar 1932)

Anknüpfend an die letzten Ausführungen, will ich mich heute über die rein praktische Verwendung der neuen Technik äußern. Zunächst will ich aber die mir aus Ihrem Kreise vorgelegte Frage beantworten: „Wie ist Freiheit der Erfindung möglich, wenn die Gebundenheit an die Tonfolge der der Komposition zugrunde gelegten Reihe gewahrt werden muß?"
Scharf formuliert wäre darauf zu antworten: Könnte man nicht in bezug auf die Siebentonreihe die gleiche Frage stellen? — Zugrunde liegen hier zwölf, dort sieben Töne; die Bindung an die Reihe ist wohl eine besonders strenge Bindung, aber solche Bindungen hat es immer gegeben: In den strengen polyphonen Formen wie Kanon und Fuge, die an das gewählte Thema gebunden sind. — Die „Kunst der Fuge" von J. S. Bach hat ein einziges Thema zur Grundlage. — Was konnte das Werk anders sein als die Antwort auf die Frage: Was kann ich mit diesen wenigen Tönen machen? — Es ist immer etwas anderes und zugleich immer dasselbe. — Bach wollte zeigen, was alles aus einem einzigen Gedanken geholt werden kann. — In der Praxis ist die Zwölftonmusik im einzelnen etwas anderes, aber allgemein liegt ihr dieselbe Denkungsart zugrunde. Dem Sinne nach ist die „Kunst der Fuge" das gleiche wie das, was wir in der Zwölftonkomposition schreiben. · Bei Bach sind es die sieben Töne der alten Skala, hier liegt die chromatische Skala zugrunde. Auf dieser neuen Basis wird jetzt erfunden.
Als Beispiel Schönbergs Bläserquartett op. 26:
Die Reihe lautet: Es-G-A-H-Des-C / B-D-E-Fis-As-F. — Auf den ersten Blick sieht man, daß die Reihe in zwei, den Intervallen nach parallel gebaute Teile zerfällt, deren zweiter eine Quart tiefer — oder wenn man will: eine Quint höher — liegt, also gewissermaßen die Dominante des ersten Teils (der „Tonika") bildet. — In Takt 7 folgt in der Flötenstimme der Krebs der Reihe; der zweite Satz beginnt gleich mit dem Krebs. — Im dritten Satz wird die Reihe zu Beginn zwischen Horn und Fagott aufgeteilt: mit einer gewissen Regelmäßigkeit entnimmt das Horn für die Melodie Töne der Reihe, während die übrigen dem Fagott zugeteilt sind. Von Takt 8 an erfolgt die Aufteilung in anderer Weise zwischen einzelnen Instrumenten. — Dabei stellen wir fest, daß orgelpunktmäßige Wiederholungen desselben Tones keine Verletzung des Grundgesetzes bilden. (Natürlich kann auch jeder einzelne Ton beliebig in welcher Oktav immer auftreten.)
Das ist also die neulich besprochene „Urpflanze"! — Immer verschieden und doch immer dasselbe! Wo immer wir das Stück anschneiden — immer muß der Ablauf der Reihe festzustellen sein. Hierdurch wird der Zusammenhang gewährleistet; es bleibt im Ohr doch etwas hängen, auch wenn es nicht bewußt wird, und wir haben oft die Erfahrung gemacht, daß Sänger unwillkürlich in der Reihe fortsetzen, auch wenn diese in der Singstimme aus irgendeinem Grunde unterbrochen war.
Ein „Thema" ist die Zwölftonreihe im allgemeinen nicht. — Aber ich kann vermöge der jetzt auf andere Weise gewährleisteten Einheit auch ohne Thema-

tik – also viel freier – arbeiten: die Reihe sichert mir den Zusammenhang. Als wir die Tonalität allmählich aufgaben, da kam die Idee auf: Wir wollen nicht wiederholen, es soll immer etwas Neues kommen! – Es ist selbstverständlich, daß das nicht geht, da es die Faßlichkeit zerstört. Zumindest ist es nicht möglich, auf längere Strecken in dieser Weise Musik zu schreiben. Erst nach der Formulierung des Gesetzes wurde es möglich, wieder längere Stücke zu komponieren.

„Ganz neu sagen" wollen wir dasselbe, was früher gesagt wurde. Aber ich kann jetzt freier erfinden, alles hat einen tieferen Zusammenhang. Jetzt erst ist es möglich, in freier Phantasie, ohne Bindung – außer durch die Reihe – zu komponieren. Ganz paradox gesprochen: Erst auf Grund dieser unerhörten Fessel ist volle Freiheit möglich geworden!

Ich kann hier nur stammeln. – Alles ist noch im Fluß. – Auch die alten Niederländer waren sich über den Weg nicht klar bewußt, und zum Schluß ist aus dieser Entwicklung die „Harmonielehre" von Schönberg herausgekommen! Hier liegt bestimmt eine Gesetzmäßigkeit zugrunde, und es ist unser Glaube, daß auf diesem Wege das echte Kunstwerk zustande kommen kann. – Einer späteren Zeit ist es vorbehalten, die engeren gesetzlichen Zusammenhänge zu finden, die hier schon in den Werken vorliegen. – Wenn man zu dieser richtigen Auffassung der Kunst kommt, dann kann es keinen Unterschied mehr geben zwischen Wissenschaft und inspiriertem Schaffen. Je weiter man vordringt, um so identischer wird alles, und man hat zuletzt den Eindruck, keinem Menschenwerk gegenüberzustehen, sondern der Natur. Wie hat der Mensch die 48 Formen im Kopf? Wie kommt es, daß er jetzt Nr. 7 und dann Nr. 45 nimmt, jetzt einen Krebs, dann eine Umkehrung? – Das ist natürlich Sache der Reflektion und des Nachdenkens. Ich weiß, wie ich weiter erfinde und wie es weitergeht, und dann suche ich mir den Platz, wo ich es unterbringe.

Beispiel: Der zweite Satz meiner Symphonie (op. 21, entstanden 1928). Die Reihe lautet: F-As-G-Fis-B-A / Es-E-C-Cis-D-H. – Sie hat die Eigentümlichkeit, daß der zweite Teil der Krebs des ersten ist. Das ist ein besonders inniger Zusammenhang. Es gibt also hier nur 24 Formen, weil immer je zwei identisch sind. – In der Begleitung des Themas erscheint zu Beginn der Krebs. Die erste Variation ist in der Melodie eine Transposition der Reihe von C aus. Die Begleitung ist ein Doppelkanon. – Mehr Zusammenhang ist nicht möglich. Das haben auch die Niederländer nicht zusammengebracht. – In der vierten Variation entstehen lauter Spiegelbilder. Diese Variation ist selbst der Mittelpunkt des ganzen Satzes, und von da aus geht alles wieder zurück. Der ganze Satz stellt also selbst einen Doppelkanon mit Rücklauf dar!

Nun liegt mir noch folgendes am Herzen: Was Sie hier sehen – Krebs, Kanon, etc. – es ist immer dasselbe –, ist nicht in dem Sinne zu nehmen, daß es „Kunststückerln" sind – das wäre lächerlich! – Möglichst viele Zusammenhänge sollen geschaffen werden, und daß es viele Zusammenhänge sind, werden Sie zugeben müssen!

Zum Schluß muß ich aufmerksam machen, daß das nicht nur in der Musik so ist. Eine Analogie findet man in der Sprache. Mit höchster Begeisterung hat es mich erfüllt, daß bei Shakespeare in den vielen Anlauten und Gleichlauten auch solche Zusammenhänge zu merken sind. Sogar der Krebs eines Satzes wird gebildet. — So ist auch die Sprachkunst eines Karl Kraus entstanden: Zusammenhang soll auch da geschaffen werden, weil es die Faßlichkeit erhöht.
Und zum Abschluß setze ich einen alten lateinischen Spruch her:

SATOR
AREPO
TENET
OPERA
ROTAS

(2. März 1932)

NACHWORT

Der alte lateinische Spruch „Sator Arepo Tenet Opera Rotas", mit dem Webern seinen Vortrag vom 2. März 1932 beschloß, läßt unter anderem die Übersetzung zu: „Der Sämann Arepo (ein Eigenname) hält das Werk im Umlauf." — Aus dem magischen Quadrat, in das Webern den Spruch einordnete, ist das Grundprinzip der Zwölftontechnik — die Gleichberechtigung von Grundreihe, Umkehrung, Krebs und Krebsumkehrung — deutlich ablesbar.

*

Als Nachtrag zu den Vorträgen seien zunächst noch einige Notizen mitgeteilt, die ich mir zwischen September 1936 und Februar 1938 machte, in der Zeit, in der ich als Privatschüler Weberns unter seiner Anleitung die Formenlehre durcharbeitete. Ich kam damals wöchentlich einmal in seine Wohnung in Maria Enzersdorf bei Mödling und schrieb auf der Rückfahrt in der Eisenbahn immer gleich meine Erlebnisse bei Webern nieder. Wir analysierten fast ausschließlich Werke der Klassiker; nur zweimal sprach er auch ausführlicher über sein eigenes Schaffen: über seine Symphonie op. 21 und über sein Quartett op. 22. Zu letzterem machte er, als wir das Scherzo der Klaviersonate Beethovens op. 14, Nr. 2, analysierten, die Bemerkung, daß er eben während des Analysierens festgestellt hätte, daß der zweite Satz seines Quartetts formal ganz analog gebaut sei wie das Scherzo Beethovens.
Von meinen ein ganzes Notizbuch füllenden Aufzeichnungen gebe ich hier nur einige von allgemeiner Bedeutung wieder:

Primäre Aufgaben der Analyse besteht darin, die Funktionen der einzelnen Teile zu zeigen; das Thematische ist sekundär.

In der tonalen Musik gibt es Variationsmöglichkeiten durch bloße Veränderung der Lage der Akkorde. Was hat die Zwölftontechnik dagegen einzusetzen?

Durchführen heißt: Durch weite Räume führen!

Mozart und Haydn haben geringere „thematische Genauigkeit" als Beethoven. Aber schon bei ihnen ist der Raum geschaffen für alles, was sich im Sonatensatz ereignet; so wie der Gärtner die Grube gräbt, in die er die Pflanzen einsenkt.

Erst bei Beethoven ist die Darstellung der musikalischen Gedanken in der Horizontalen vollendet; dann vollzieht sich eine Rückwendung, vor allem bei Brahms. Bei diesem bestimmen die selbständig entwickelten Nebenstimmen den Charakter des Themas, bei Schönberg dienen sie zur Herstellung von inhaltlichen Beziehungen.

Ein wichtiger Ausspruch Schönbergs: „Verkürzen heißt immer verlängern!" Unterscheidung zwischen „Abwicklung" und „Entwicklung" der Themen (Bach und Beethoven).

Fundamental ist der Gegensatz von fest und locker. Die Festigkeit des Hauptgedankens (Hinstellung des Themas!) ist aber eine andere als die des Schlußsatzes. — Schon in den Fugen Bachs ist dieser Gegensatz in den Episoden erkennbar. Beispiel: Das sechsstimmige Ricercare aus dem „Musikalischen Opfer".

Zur Rondoform: Die Entwicklung zeigt die Tendenz, dem Rondo den ursprünglichen Kehrauscharakter zu nehmen. Bei Brahms und Bruckner geschieht dies durch Einführung durchführender (kontrapunktischer) Elemente; bei Mahler werden in den Seitensätzen neue Gedanken ausgebreitet; daher Anwendung der Rondoform auch in Mittelsätzen.

Eigentlich sollte man in der Formenlehre die Variationenform möglichst frühzeitig durchnehmen. Das war auch die Ansicht Schönbergs.

Die Betrachtung der Entwicklung der Variationstechnik liefert einen direkten Zugang zur Reihentechnik. Die Bezogenheit auf Thema oder Reihe ist ganz analog. Schönberg sagte aber einmal: „Die Reihe ist mehr und weniger als ein Variationsthema." — Mehr: infolge der strengeren Bezogenheit des Ganzen auf die Reihe. Weniger: die Reihe liefert weniger Variationsmöglichkeiten als das Thema.

*

Zur persönlichen Erinnerung an den teuren Meister und Freund zitiere ich einiges aus den 31 Briefen, die ich zwischen dem 29. April 1938 und 6. Juli 1944 von ihm erhielt *).

29. April 1938:

Ich bitte Sie, mir öfter und recht ausführlich Nachricht zu geben. Gerade jetzt hat man das Bedürfnis, von seinen Freunden zu hören. So erwartete ich auch schon sehr Nachricht von Ihnen... Ich habe gerade in den letzten Wochen sehr viel gearbeitet und mein Streichquartett (op. 28) beendet. Nun geht es nach Amerika, d. h. die Stimmen an Kolisch nach London. Ich hatte gehofft, es mit diesem hier durchmachen zu können. — Vor kurzem ist der Klavierauszug meines Chor-Stückes „Das Augenlicht" (U. E.) erschienen. Nun bin ich ja neugierig, ob es der B.-B.-C.-Chor erlernen wird. Dirigieren soll es Scherchen. Aufführung 17. VI., im ersten Konzert des Festes (IGNM-Fest in London). — Werden Sie hinfahren? Sie äußerten seinerzeit die Absicht. Von hier kann niemand kommen. Ich habe zwar eine Einladung bekommen, aber ich werde wohl kaum abkommen können. — Einen „Delegierten" der hiesigen Sektion wird es diesmal nicht geben. Deren Schicksal sowie des

*) Die in den Briefen *kursiv* gedruckten Wörter sind im Original unterstrichen.

Vereins ist einstweilen noch nicht geklärt. Jedenfalls kann sie (laut Gesetz) nicht mehr „österreichisch" heißen. Zur Zeit zeichne ich allein verantwortlich... Hörten Sie von dem schauderhaften Vorfall anläßlich der Aufführung meines Streichtrios in London? Der Cellist erhob sich mit den Worten: „I cannot play this thing!", um vom Podium *abzugehen!* So was hat sich wohl noch nicht ereignet!... Was hören Sie sonst aus der Welt, von Freunden? Schreiben Sie recht bald wieder. Mit den „Stunden" ist es auch so eine Sache; zunächst habe ich nur *eine* zu geben. Man muß Geduld haben!

27. Juli 1939:
Kann ich Ihnen vielleicht behilflich sein? Sie wissen doch, daß Sie mit mir, soweit meine schwachen Kräfte reichen, rechnen können! Hoffentlich können Sie doch noch recht lang (d. h. bis sich eben Gewünschteres findet) an Ort und Stelle bleiben. Seien Sie versichert, daß mir alle diese schweren Probleme dauernd sehr, sehr am Herzen liegen, mich ununterbrochen beschäftigen und maßlos bedrücken! Aber wir haben ja einen „Halt" und der ist meines Erachtens unüberwindlich, und so habe ich (sowohl für mich als auch in der Sorge um die anderen) den Mut wohl noch in keinem einzigen Augenblick sinken lassen! Ja aber, lieber Freund, das ist ja *alles!!!* Von diesem „Halt" aus erschienen mir die von Ihnen erwähnten – man muß schon sagen „Herrschaften" – schon immer als „Gespenster"!

20. Oktober 1939:
Ja, ich glaube auch, daß es für Sie und die Ihren unter den gegenwärtigen Umständen wohl das Günstigste sein dürfte, zu bleiben, wo Sie jetzt sind, und daß es vielleicht sogar ein Glück war, daß Ihre seinerzeitigen Absichten nicht zur Verwirklichung gelangen konnten. So wünsche ich Ihnen ein möglichst langes Verbleiben. Aber vielleicht wird es doch bald wieder anders. Hoffen wir, lieber Freund!
Über Ihre Nachricht von der Aufführung meiner Passacaglia am 7. II. unter Erich Schmid (in Winterthur) freute ich mich sehr... Wenn eine Einladung an mich zustande kommen könnte, würde ich mich sehr freuen und natürlich *sehr gerne* kommen!!! *) ...Unter Umständen könnte mein Besuch sogar von *besonderer Tragweite* für mich sein! Es wäre mir also an der Verwirklichung *sehr gelegen!!!* Ich bin sehr froh darüber, daß Sie *daran* gedacht haben. Sehr gut, lieber Reich! Ich danke Ihnen sehr! – Schien doch Derartiges für mich schon ganz außer dem Bereich der Möglichkeit! Ich sehe es als gutes Zeichen!

*

Nun zu dem geplanten Konzert der IGNM (in Basel). Was mich betrifft: an welche Lieder denkt man? Wie wichtig wäre eine gute Auswahl! Z. Bsp.: aus op. 3 „Dies ist ein Lied", „Kahl reckt der Baum"; aus op. 4 „So ich traurig bin" (das ist noch *nie* gesungen worden!!!) oder „Eingang". Aus op. 12 „Der Tag ist vergangen" und „Gleich und Gleich". Das wäre eine Gruppe von

*) Die Einladung kam durch Dr. Werner Reinhart zustande. Wir verlebten mit Webern im Februar 1940 schöne Stunden in Winterthur und Basel. W. R.

5 Liedern, die *in dieser Folge* kommen sollten! Was nun Instrumentales von mir betrifft: wenn sich ein *Quartett* fände, das, wenn schon nicht alle 5 Sätze (op. 5), doch etwa Nr. 2, 4 und 5 daraus spielen würde! Das ginge durchaus! Und gut! Ansonsten wären die Violinstücke günstiger als die Cellostücke. Die lieber *gar nicht!* Nicht, weil ich sie nicht gut finde. Aber sie würden ja nur ganz mißverstanden. Die Spieler und die Hörer können nur schwer damit was anfangen. *Nichts Experimentelles!!!* — Günstige Vorbedingung für die Aufführung der Passacaglia schaffen!!!
Sehen Sie, sehen Sie, alles das Genannte ist schon *3 Jahrzehnte alt!* Und noch immer muß ich mich sorgen! Als ob's um „Uraufführungen" ginge. Ach, endlich ein wenig begriffen zu werden! — Aber es ist brav, was Sie tun! Nun berücksichtigen Sie meine Vorschläge. — Und was Ihren Vortrag betrifft: *Nichts Theoretisches!* Sagen Sie lieber, *wie Ihnen diese Musik gefällt!* Das wird man Ihnen glauben und damit ist günstige Wirkung erzielt...
Denken Sie, ich muß jetzt Arbeiten für die U. E. machen, einen dicken, dicken Klavierauszug. (Mehr verrate ich einstweilen nicht!) Ja, im September habe ich die gewisse Tätigkeit im Radio verloren; dieser Dienst ist liquidiert worden. Nun saß ich da! Also mußte ich rasch zugreifen!!! Es ist eine verflixte Situation. Zur Zeit habe ich *keinen einzigen* Schüler!
So mußte ich leider die Arbeit an der „Kantate" (op. 29) etwas aufschieben, wäre sonst vielleicht schon fertig. Aber ich hoffe, es wird doch bald sein können. Über diese Arbeit nächstens mehr. Es ist schon allerhand zu sagen darüber.

9. Dezember 1939:
Ich wollte gleich antworten, ich hatte mich doch wieder so sehr gefreut über Ihren Brief (vom 2. November), überhaupt und im besonderen, aber ich war ganz vergraben in meine Arbeit: die Kantate (op. 29) ist fertig geworden... Es ist der Konstruktion nach eine vierstimmige Doppelfuge. Aber Thema und Gegenthema verhalten sich wie Vorder- und Nachsatz (Periode), womit also wieder die Elemente der anderen (horizontalen) Darstellungsart hereinspielen. Man könnte auch von einem Scherzo sprechen, auch von Variationen! Doch ist es eine strenge Fuge. Für Chor, Sopran-Solo und Orchester. Nun bin ich bei der Anfertigung der Partitur.

3. März 1941:
Lange, lange habe ich Ihnen nicht geschrieben, doch hatte es seine Gründe. Ich habe nämlich so lange gebraucht, um mit der Partitur meiner Orchestervariationen fertig zu werden. Nun aber ist es soweit. Und da wollte und konnte ich nichts anderes machen, außer absolut Unaufschiebbares. Ich hatte es ja geahnt, daß das schwer werden würde und es, glaube ich, auch Ihnen gegenüber geäußert, aber daß es so viel Zeit brauchen würde, doch nicht. Wochen und Wochen bin ich dabei gesessen. Und nun ist, so denke ich, etwas ganz Einfaches und vielleicht Selbstverständliches dabei herausgekommen.
Das Stück dauert so zirka eine gute Viertelstunde, fast durchwegs sehr rasch

im Tempo, aber zum Teil von getragener Wirkung. Es soll, dabei ist es geblieben, formal im Gesamtergebnis eine Art Ouvertüre vorstellen, doch auf Grund von Variationen, auch der Titel lautet so: „Variationen für Orchester" (op. 30). — Die Besetzung ist klein: Fl., Ob., Kl., Baßkl., Hr., Trp., Po., Tuba, Cel., Hrfe., Pauke, Streicher (mit Kontrabaß).
Es ist wohl wieder die Synthese da: im Formalen „horizontale", in allem übrigen die „vertikale" Darstellung. Im Grunde ist meine „Ouvertüre" eine „Adagio"-Form, doch erscheint die Reprise des Hauptthemas in Form einer Durchführung, also dieses Element ist auch drin. „Prometheus" von Beethoven und die „Tragische" von Brahms sind auch Ouvertüren in Adagio-Formen und nicht in der Form eines „Sonatensatzes"!!!... Eine Kopie ist noch nicht angefertigt, doch wird sie sicher von der U. E. schnellstens bereitgestellt werden. — Nun äußern Sie sich, lieber Guter, und machen Sie Ihren Einfluß geltend, dies bitte ich Sie. Wenn's nur überhaupt zu einer Beachtung meiner Arbeit käme! *)

3. Mai 1941:
Die Kopie meiner „Variationen" ist fertig — es ist eine Photokopie, die sehr gut ausgefallen ist, manches ist deutlicher als in meinem Manuskript, und heute abends nimmt sie Schlee selbst mit in die Schweiz, was sich besonders aus Sicherheitsgründen ja gut trifft. Punkt eins der ganzen Sache geht also prompt seiner Erfüllung entgegen, hoffentlich auch alles Weitere!
Ich möchte Ihnen, ganz kurz, jetzt einiges zu dem Werk sagen, was Sie vielleicht wirksam möglichen Einwänden entgegenhalten können und was überhaupt wieder etwas Klärung bringen soll. Also verstehen Sie mich recht: Ihnen selbst möchte ich gelegentlich ja ganz anderes darüber mitteilen.
Dürfte es nicht etwa gleich beim ersten Anblick dieser Partitur heißen: Ja, da ist ja „nichts drin"!!! Es gehen dem Betreffenden nämlich die vielen, vielen Noten ab, die er sonst zu sehen gewohnt ist, etwa bei R. Strauß usw. Richtig! Aber das berührt nun wohl den wichtigsten Punkt: es wäre grundlegend zu sagen, hier (mit meiner Partitur) ist eben ein anderer *Stil* gegeben. Ja, aber was für einer? Wie eine Partitur aus der vorwagnerischen Zeit, etwa Beethoven, sieht es auch nicht aus, auch wie Bach nicht. Soll man noch weiter zurückgehen? Ja, aber — da gab's ja noch keine *Orchester*-Partituren!
Und doch, eine gewisse Verwandtschaft mit der Art der Darstellung, wie sie bei den Niederländern gegeben ist, dürfte schon zu finden sein. — Also etwas „Archaistisches"? Etwa ein orchestrierter Josquin? — Die Antwort müßte ein energisches „Nein" sein! — Was denn also? — Nichts dergleichen!
Jetzt wäre entscheidend zu sagen: Das (meine) ist eben Musik, die *ebenso* auf den Gesetzen ruht, zu denen die musikalische Darstellung *nach* den Niederländern gelangt ist. Die die Entwicklung, die dann gekommen ist, doch nicht verleugnet, sondern ganz im Gegenteil weiterführen will, in die Zukunft, und

*) Die Uraufführung der „Variationen" kam am 3. März 1943 in Winterthur unter Leitung von Dr. Hermann Scherchen zustande. Webern wurde dazu eingeladen. Es war seine letzte Auslandsreise. W. R.

nicht zurück in die Vergangenheit strebt. Was für ein *Stil* also? Ich glaube, eben doch ein neuer. Im Material genau der gesetzmäßigen Natur folgend, wie die früheren, vorhergegangenen Formen der Tonalität, also *eine Tonalität bildend*, aber eine, die die Möglichkeiten, welche die Natur des Tones bietet, noch anders nützt, nämlich auf Grund eines Systems, das die bisher in der abendländischen Musik gebräuchlichen 12 verschiedenen Töne eben, wie Arnold es ausgedrückt hat, „aufeinander bezieht", aber deswegen doch nicht, möchte ich erklärend hinzufügen, die Gesetzmäßigkeiten, wie sie durch die Natur des Tones gegeben sind, nämlich im Verhältnis der Obertöne zu einem Grundton, außer acht läßt. Was ja gar nicht sein kann, wenn es weiter um *sinngemäß* in Tönen Ausgedrücktes gehen soll! Aber daß wir das etwa gar nicht wollten, wird doch wirklich niemand behaupten. — Ein Stil also, in der Materie solcher Art, und in der Formgebung *die beiden möglichen Darstellungsarten aufeinander beziehend.*

Nun würde ich Ihnen gerne an der Hand der Partitur das Stück erklären. Einiges Wichtige aber noch in Kürze:

Das „Thema" der Variationen reicht bis zum ersten Doppelstrich; es ist periodisch gedacht, hat aber „einleitenden" Charakter. — Es folgen sechs Variationen (je bis zum nächsten Doppelstrich). Die erste sozusagen das Hauptthema der Ouvertüre (Andanteform) in voller Entfaltung bringend; die zweite die Überleitung, die dritte den Seitensatz, die vierte die Reprise des Hauptthemas — es ist ja eine Andanteform! — aber in *durchführender* Art, die fünfte, Art der Einleitung und Überleitung wiederholend, führt zur Coda: sechste Variation.

Alles nun, was in dem Stück vorkommt, beruht auf den beiden Gedanken, die mit dem ersten und zweiten Takt gegeben sind (Kontrabaß und Oboe)! Aber es reduziert sich noch mehr, denn die zweite Gestalt (Oboe) ist schon in sich rückläufig: die zweiten zwei Töne sind der Krebs der ersten zwei, rhythmisch aber in Augmentation. Ihr folgt, in der Posaune, schon wieder die erste Gestalt (Kontrabaß), aber in Diminution! Und im Krebs der Motive und Intervalle. So nämlich ist meine Reihe gebaut, die mit diesen dreimal vier Tönen gegeben ist.

Aber der motivische Ablauf macht diesen Krebsgang mit, jedoch unter Benützung von Augmentation und Diminution! Diese beiden Arten von Veränderung führen nun fast ausschließlich zu den jeweiligen Variationsideen, das heißt: eine motivische Veränderung geht, wenn überhaupt, nur in diesem Rahmen vor sich. Aber durch alle mögliche Verlegung des Schwerpunktes innerhalb der beiden Gestalten entsteht immer was Neues in Taktart, Charakter usw. — Vergleichen Sie nur die erste Wiederholung der ersten Gestalt mit deren erster Form (Posaune bzw. Kontrabaß)! Und so geht's durch das ganze Stück, für das mit den ersten zwölf Tönen, also mit der Reihe, alles an Inhalt im Keim schon da ist! Vorgebildet ist!!! — Mit Takt eins und zwei auch die beiden Tempi (Metronomisierung beachten!) des Stückes!!!

Nun, das war ein bißchen was. Ich muß aber jetzt aufhören. Doch erzähle ich gern ein andermal wieder was darüber.

23. August 1941:
Es tut mir furchtbar leid, daß ich derart verspätet Ihre lieben ausführlichen Briefe beantworte. Nehmen Sie mir es nicht übel: ich war aber ganz und gar von meiner Arbeit (II. Kantate, op. 31) in Anspruch genommen und bin es noch. Das erste Stück eines neuen Chorwerkes (mit Solis und Orchester), es dürfte wohl den Umfang einer Kantate überschreiten — so wenigstens ist mein Plan —, also dieses erste Stück ist fertig und auch schon in Partitur gebracht. Und gleich möchte ich Ihnen ein wenig davon erzählen: Es ist formal ein Einleitendes, ein Rezitativ! — Aber nun liegt diesem Gebilde eine Konstruktion zugrunde, wie sie vielleicht kein „Niederländer" sich jemals ausgedacht hat; es war die vielleicht schwerste Aufgabe, die ich (in solcher Hinsicht) je zu erfüllen hatte!
Zugrunde liegt nämlich ein vierstimmiger Kanon kompliziertester Art. Wie er ausgeführt ist aber, glaube ich, war nur möglich auf Grund des Reihengesetzes, das hier in ganz besondere Erscheinung tritt, ja, dessen Sinn hier vielleicht erst so ganz wirksam ist.
Im Platon habe ich gelesen, daß „Nomos" (Gesetz) auch die Bezeichnung für „Weise" (Melodie) war. — Die Weise nun, die das Sopran-Solo in meinem Stück singt als Einleitung (Rezitativ), sie möge das *Gesetz* (Nomos) sein, für alles, was noch folgt!
Im Sinne der Goetheschen „Urpflanze": „Mit diesem Modell und dem Schlüssel dazu kann man alsdann noch Pflanzen ins Unendliche erfinden... Dasselbe Gesetz wird sich auf alles übrige Lebendige anwenden lassen." — *Ist das nicht im tiefsten der Sinn unseres Reihengesetzes?*

31. Juli 1942:
Von meiner Arbeit kann ich melden, daß ich wieder um ein gutes Stück vorwärtsgekommen bin. Die letzte Zeit war ganz damit ausgefüllt: wieder ist ein Stück des geplanten „Oratoriums" fix und fertig in Partitur gebracht. Es ist eine Sopran-Arie mit Chor und Orchester. Eine Stimme gibt das Gesetz — in dem Falle ist es das Sopran-Solo — also die „Weise": dafür aber hatten die Griechen dasselbe Wort wie für Gesetz: Nomos! — Sie, die „Weise", muß also die Gesetz-Geberin sein!
So war es ja immer in der Musik der Meister! — Ob ich es so treffe, wie diese, weiß Gott allein, aber ich habe doch wenigstens erkannt, worum es geht!
In meinem Falle: Nichts ereignet sich nun, was nicht durch diese Weise vorherbestimmt ist! Sie ist das Gesetz: also wahrhaftig der „Nomos"! — Aber vorherbestimmt auf kanonischer Grundlage!
Natürlich: die „Reihe" an sich stellt ja schon ein Gesetz dar; sie müßte aber nicht auch die „Weise" sein. Da sie es aber in meinem Fall tatsächlich ist, so bekommt nun wohl die „Reihe" ganz besondere Bedeutung, in einer höheren Ebene sozusagen, wie etwa die Choralmelodien in den Bearbeitungen Bachs. Im allgemeinen sind ja damit die Vorstadien unserer Technik gegeben, aber ich komme, glaube ich, noch in einem ganz besonderen Sinne darauf zurück.

4. September 1942:
Nun liegt ja also ganz positiver Erfolg vor. – Gern möchte ich glauben, daß es dabei bleiben kann, was Scherchen Ihnen mitteilte und so nun also wirklich meine Variationen (op. 30) am 9. Dezember zur Aufführung kommen. Sie können sich denken, wie sehr mich Ihre Nachricht erfreute!!!*) . . . Daß wieder alles so gut und freundlich ausfallen könnte, wie das vorige Mal, an dem Gedanken erwärme ich mich sehr, Liebster, Bester!!!
Die Anfertigung des Materials hat die U. E. bereits in Arbeit gegeben; nun soll es das Musikkollegium bei ihr anfordern. – Wenn man so vor einer Erstaufführung steht, insbesondere einer orchestralen, denkt man naiverweise vor allem daran: Wie wird es klingen? Und freut sich schon darauf, ebenso naiv! – Wenn man schon aufführt, dann muß es aber auch die richtige sinnliche Erscheinung geben. Schwelgt in Klängen, dann tut ihr recht, Dirigenten!...
Indessen habe ich wieder ein neues Stück fertiggestellt. – Es soll mit den beiden vorangegangenen sozusagen den ersten Teil des geplanten „Oratoriums" bilden. Es ist für Chor und Orchester, gewissermaßen als „Chorallied" gedacht. Aber nun wieder die Beziehungen: die zweite Stimme (Alt) singt die Töne der ersten (Tenor) zurück, die dritte (Sopran) bringt die Umkehrung der zweiten, und die vierte (Baß) ist die Umkehrung der ersten, singt aber überdies die Töne der dritten zurück! – Also doppelte Verschränkung eins und vier sowie zwei und drei (Umkehrungsverhältnis) und wieder: eins und zwei sowie drei und vier (Krebsgängigkeit). Ich glaube, Sie werden erstaunt sein über dieses Partiturbild. Große Notenwerte, aber sehr fließendes Tempo.

6. August 1943:
Es tut mir leid, mich so zu verspäten, ich wollte Ihnen ja bald nach meiner Rückkehr von Winterthur etliches sagen; aber wieder war es so: Ich habe im Grunde nicht aufgeschaut von meiner Arbeit. Es ist wieder ein Stück im Rahmen meines Planes, von dem ich Ihnen ja schon des öfteren erzählte, fertig geworden: Eine Baß-Arie. Das ist alles noch strenger und eben deshalb auch noch freier geworden. Das heißt: ich bewege mich auf der Basis eines „unendlichen Doppelkanons in der Umkehrung" in völliger Freiheit. Durch Variation, Diminution usw. – etwa wie Bach mit seinem Thema in der „Kunst der Fuge" verfährt. – Aber der Form nach ist die Arie dreiteilig, mit einem ca. 32 Takte langen periodisch gebauten Thema: also wieder engstes Ineinandergreifen der beiden Darstellungsarten. Im Charakter eine Art Hymne: „Die Stille um den Bienenkorb in der Heimat".
Aber nun doch noch etwas zurück nach Winterthur: daß wir uns diesmal so kaum haben allein aussprechen können, tut mir noch immer leid! – Daß ich mein Stück habe hören können, war mir sehr recht. Denn es war mir sehr darum zu tun, selbst zu kontrollieren, was es aufweist: ich glaube, recht bekommen zu haben. Nämlich, daß auf Grund solcher Art des Zusammen-

*) Die in Winterthur geplante Uraufführung der „Variationen für Orchester", op. 30 kam erst am 3. März 1943 zustande. W. R.

hanges auch der aufgelösteste Klang völlig geschlossen wirken muß und daher in puncto „Faßlichkeit" kaum ein Wunsch offen sein dürfte. Ist es nicht so? – Ich glaube, das hat ja auch die Wirkung auf das Publikum gezeigt!

23. Oktober 1943:
Ihren Brief vom 30. August, für den ich Ihnen noch sehr danke, wollte ich wahrlich nicht so lange unbeantwortet lassen, lieber Guter! Nun ist es doch so gekommen: Sie wissen ja, ich stecke so sehr in meiner Arbeit. Bald ist wieder ein Stück fertig: ein dreistimmiger Frauenchor mit Sopran-Solo und Orchester. Der gibt mir nun allerschwierigste Probleme zu lösen auf.
Was sie mir über meine Orchester-Variationen sagen, freute mich aufrichtigst, und nicht minder, was Sie planen, um Aufführungen meiner Musik zu erzielen...
Die drei Gesänge op. 23, die ja längst erschienen sind (gedruckt), hat Frau Gradmann schon besessen, als ich im März bei ihr war. Daß diese Lieder, sechs sind es also (je drei op. 23 und 25), an dem von Ihnen geplanten Abend in Basel uraufgeführt werden sollen – sie sind auch schon bald zehn Jahre alt –, ist mir sehr recht. Ich denke mir, daß es am günstigsten wäre, diese Lieder in die Mitte des Programms zu stellen und dazwischen die Klaviervariationen (op. 27) zu spielen. Vor und nach dieser Gruppe: eine Auswahl aus den Klavierliedern op. 3, 4 und 12. Was Frau Gradmann am besten liegt. Aus op. 3 etwa eins, vier und fünf (die würde ich mir schon wünschen, Frau Gradmann hat sie aber, glaube ich, noch nicht gesungen), damit beginnen, aus op. 4 was sie am liebsten möchte, und aus op. 12 etwa eins, zwei und vier. Also etwa zwei Gruppen zu je vier bis fünf Liedern. Und damit könnte ja die ganze Veranstaltung bestritten sein: sie würde dann etwa eine Stunde dauern und das wäre hinlänglich genug, lieber Reich! Nicht mehr!
Was nun den Termin anlangt: Binden Sie sich nur ja nicht an das bewußte Datum! *) Nicht eine direkte Geburtstagsfeier machen, nein, nein: eine Aufführung! Gar nicht reden davon, daß – – –, wie unwichtig, wie nebensächlich, um Gottes willen! Erfüllen Sie mir diesen Wunsch unbedingt!

10. Januar 1944:
Mein lieber Freund, nun aber endlich von ganzem Herzen vielen Dank für alles: Ihr liebes Telegramm, Ihren Brief, der mir so viel Freude gebracht hat, weil er mir im schönsten Sinne wieder vor Augen rückte, wofür ich Ihnen nun noch ganz besonders danken möchte: für Ihre unentwegte, mutige und aufopferungsvolle Treue!
Dieser 5. Dezember in Basel (eine von mir angeregte Matinee der Basler Sektion der IGNM mit der Uraufführung der Lieder op. 23, den Stücken für Violine und Klavier op. 7, den Stücken für Violoncello und Klavier op. 11, den Variationen für Klavier op. 27 und einer kurzen Ansprache von mir. W. R.), sein schönes Gelingen, das war ja nun wieder einmal eine so gute und, wie

---

*) Weberns 60. Geburtstag am 3. Dezember 1943. W. R.

sich offenbar schon erwies, so folgenreiche, segensvolle Tat von Ihnen und ein so grundprächtiger Einsatz, daß ich gar nicht zu sagen vermag, wie ich es empfinde! Also seien Sie umarmt voll bester Gefühle, lieber Freund!
Und die möchte ich auch dadurch zum Ausdruck bringen, daß ich Ihnen das „Du" antrage: ich fahre gleich in diesem Sinne fort, so geht es ja viel freundlicher.
Du möchtest gerne wissen, was sich hier im Zusammenhang mit dem 3. XII. begeben hat: Nun, wir waren am Abend bei Ratz beisammen; es war ja gerade „Kurs"-Tag: die Kursteilnehmer, Apostels und — was mich so besonders gefreut hat — Frau Helene (die Witwe Alban Bergs)! — Wir, meine Frau und ich, waren schon nachmittags bei ihr in Hietzing, anschließend ist sie dann weiter mit uns zu Ratz gezogen, der mit einem prächtigen Büfett aufgewartet hat. So gab es dort an einem Freitag- (Kurs-) Abend einmal statt „gelehrter" Bissen besser bekömmlichere Kost. Also so war es!

23. Februar 1944:
Dein Schreiben vom 1. Februar freute mich sehr! Denn wieder zeigte es mir, wie voll von schönen Plänen Du immer bist, wie Deine Initiative nie abreißt! Das aber freut mich vor allem *Deinetwegen:* Leben heißt, eine *Form* verteidigen, so etwa drückt es Hölderlin aus. Gern sage ich Dir es: dieser Dichter beschäftigt mich schon seit geraumer Zeit sehr intensiv. Ermesse, welchen Eindruck es auf mich gemacht hat, als ich in den Anmerkungen zur Ödipus-Übersetzung die Stelle fand: „Auch andern Kunstwerken fehlt, mit den griechischen verglichen, die *Zuverlässigkeit*; wenigstens sind sie bis jetzt mehr nach Eindrücken beurteilt worden, die sie machen, als nach ihrem *gesetzlichen Kalkül* und sonstiger Verfahrungsart, *wodurch das Schöne hervorgebracht wird.*" — Brauche ich erst zu sagen, warum mich die Stelle so ergriffen hat?...
Die Partitur meiner Streichorchester-Bearbeitung von op. 5 *) geht ehestens an Dich ab. Sie muß von einem möglichst großen Streicherchor gespielt werden, damit die fortwährenden Teilungen (Tutti, Hälften, Solis) sich klanglich auch gut abheben. Es ist ja was völlig Neues geworden! In klanglicher Hinsicht! Ich kann nur sagen: Was sich doch die Herren Dirigenten entgehen lassen! — Daß Du nun dafür die Initiative ergreifen willst, freut mich sehr! Ich glaube, man wird staunen!...
Was meine Arbeit betrifft: schon sehr mit einem siebenten Stück beschäftigt, wurde mir — es hatte sich allerdings schon angekündigt — klar, daß mit den fertigen sechs Stücken *musikalisch* ein Abschluß erreicht war, sei es als Teil eines größeren oder sogar als Werk für sich. Zu diesem letzteren entschloß ich mich, d. h. ich faßte, unter geringfügiger Umstellung, diese sechs Sätze zu einer „Kantate" zusammen: Kantate Nr. 2 **) für Sopran- und Baß-Solo,

*) Fünf Sätze für Streichquartett vom Jahre 1909, für Streichorchester bearbeitet 1930. W. R.

**) op. 31, Weberns letztes vollendetes Werk. W. R.

Chor und Orchester. Dauer: eine halbe Stunde. Du wirst sehen, wie gut sie sich auch dem Text nach baut. Komme ich wieder zu einer vokalen Arbeit, wird es ja doch wieder was ganz anderes sein! Zur Zeit schreibe ich eine rein instrumentale Sache: ein mehrsätziges „Konzert" für eine Anzahl von Instrumenten.

6. Juli 1944:
Die Partitur meiner zweiten Kantate soll Dir natürlich zum Studium überlassen sein, solang Du sie eben brauchst! Was wirst Du dazu sagen? Wenn Du zum Beispiel das Bild des sechsten Stückes gewahrst?
Was ich für ein instrumentales Stück skizziert hatte – ich schrieb Dir davon –, ist übergegangen in die Komposition einer sehr langen Dichtung von H. Jone: „Das Sonnenlicht spricht: ...*Sehet, die Farben stehen auf!*" Entsprechend der Dichtung wird auch musikalisch eine zusammenhängende große Form entstehen, deren Lösung mich eben besonders interessiert. Wieder für Solis und Chor (mit Orchester).
Wie werdet Ihr den 13. September *) feiern? Übermittle mein innigstes Gedenken, das mich Tag und Nacht beherrscht, meine unsagbare Sehnsucht! Aber auch meine niemals aussetzende Hoffnung auf eine glückliche Zukunft!

*

Die „glückliche Zukunft", die Webern erhoffte, ist ihm persönlich durch sein vorzeitiges tragisches Ende vorenthalten geblieben; aber der Triumph, den sein kompromißloses, erhabenes künstlerisches Schaffen in unserer Zeit feiert, und seine Wirkung auf die junge Generation haben jene Hoffnung in einem höheren, von ihm in demütiger Hingabe und stolzer Gewißheit erahnten Sinne erfüllt.

Willi Reich

Zürich, Ende März 1960

---

*) Schönbergs 70. Geburtstag. W. R.